D1292858

Amuse-bouche

Stéphane Carlier

Amuse-bouche

ROMAN

cherche midi

Vous aimez la littérature ? Inscrivez-vous à notre newsletter
pour suivre en avant-première toutes nos actualités :
www.cherche-midi.com

Sous la direction éditoriale d'Arnaud Hofmarcher.

© **le cherche midi, 2017**
23, rue du Cherche-Midi
75006 Paris

Pour Alan Bennett.

Il faut toujours choisir le camp des poètes.

Dimanche

1

Pompe, faste, décorum. Prestige du protocole. Usage et tradition. Impression de vivre dans une sphère d'influence, un monde d'abondance, de vivre comme en 1960. Éclats de rire forcés, effusions marquées, regards de côté pour reconnaître un visage, une décoration ou la griffe d'une robe. Un ancien combattant en fauteuil roulant, un adolescent en cravate, deux ou trois femmes vraiment belles. Un grand type mince prend un selfie avec l'ambassadrice. Les serveurs passent en proposant des toasts au foie gras et des mini-hamburgers, le meilleur de deux mondes. Près du buffet, une vieille femme très maquillée, invitée chaque année, se goinfre sans prêter la moindre attention à ce qui l'entoure. Le gâteau a été découpé trop vite, peu ont remarqué son superbe glaçage imitant le drapeau américain. Il n'y a plus de champagne et, depuis dix minutes, on sert un vin blanc pétillant de moyenne gamme.

Julien s'était arrêté quelques secondes sous le porche pour lire un message sur son téléphone, puis il avait traversé la cour sous la pluie et monté le perron à petites foulées, les mains ramenées contre la poitrine. Comme tout le monde, il avait été déçu d'apprendre que la météo empêcherait le cocktail de se dérouler dans les jardins, il avait même hésité à venir. Mais c'était ça ou continuer à disserter sur l'insécurité dans les camps de réfugiés du Soudan du Sud.

À l'intérieur, il s'était laissé surprendre par la moiteur et l'odeur un peu âcre. Devant le vestiaire, il était tombé sur Thomas Rebattu, au bras d'une fille au physique de danseuse du Crazy Horse. Un instant, il s'était demandé pourquoi il n'était pas plus proche de ce type détendu et rieur qu'il avait connu à Sciences Po. Leur échange fut bref, parfaitement prévisible, Rebattu s'en allait. Julien le salua d'un « Ciao, ciao » expéditif (« Tcha, tcha ») puis il entra dans la grande salle, et c'est là qu'il aperçut Philippe.

Philippe Rigaud.

Physiquement, Jean-Marc Ayrault, en plus allemand. Plus boursouflé aussi. Et avec plus de plis. On sentait une lourdeur, une fatigue extraordinaires qui, chez quelqu'un d'autre, auraient inquiété – dans son cas, on pensait au poids des ans, des responsabilités, de l'administration...

Il discutait avec un homme frisé, roux, qui portait un pull jacquard sous sa veste de costume (début juillet) et plissait les yeux avec autant d'appréhension que s'il découvrait les résultats de sa dernière analyse de sang. En voyant Julien, Philippe ouvrit les bras. Cette apparition sembla avoir sur lui l'effet d'une sonnerie de fin de classe sur un écolier qu'on vient d'interroger. L'accolade fut franche, débordante d'affection, puis Rigaud se tourna vers son voisin de gauche.

« Schlomo, je te présente Julien Fontana, une des étoiles montantes du Quai. »

Brève poignée de main.

« Julien était VI[1] à Prague quand j'y étais en poste, reprit Rigaud. Il est très versé dans les questions humanitaires. Et donc, en toute logique, il se morfond à la direction d'Afrique.

– Oui, enfin, plus pour très longtemps, j'ai rendez-vous à la DRH la semaine prochaine.

– Déjà ? Mon Dieu, comme le temps passe. »

Les deux hommes, c'était visible, avaient l'un pour l'autre une estime sincère, et plutôt exclusive. En trois phrases, le pauvre Schlomo (que Philippe avait négligé de présenter) avait été exclu du groupe. Il aurait pu se volatiliser, ça n'aurait pas fait de différence.

---

1. Volontaire international.

« Tu as rendez-vous avec... comment s'appelle-t-elle ?

– Smith-Déranger.

– Cette indéboulonnable Marjorie... Où t'envoie-t-elle ?

– New York, je pense.

– Ce n'est pas sûr ?

– Pratiquement. Ils m'ont proposé un poste à la RP[1] en avril mais ils ont mis quelqu'un d'autre sur le coup en disant qu'ils me trouveraient autre chose.

– C'est inhabituel, ce délai... Tu veux que je me renseigne ?

– Non, je te remercie. Je vais savoir très vite.

– Je ne te vois pas ailleurs qu'à New York.

– À vrai dire, moi non plus. Quatre postes se libèrent à la RP, l'ambass est un ami personnel et il m'a fait de la pub auprès de Follal. Je suis plutôt confiant.

– Moui... »

Rigaud ne disait pas oui, mais *moui*. Et il avait d'autres manies tout aussi énervantes, comme celle d'abuser des platitudes (« Mon Dieu, comme le temps passe »). Lorsque son tour venait de s'exprimer, il plissait les yeux comme s'il s'apprêtait à réciter quelques vers de *La Légende des siècles*, sauf que c'était pour dire « C'est vrai qu'il pleut beaucoup en Bretagne » ou « Rien de plus réparateur que le sommeil, vous avez bien raison ». Ceux qui le découvraient avaient du mal à cacher leur déception. On en

---

1. Représentation permanente de la France auprès des Nations unies.

attendait plus d'un homme de son âge et de sa stature, on l'imaginait meilleur que ça... mais non.

« Marie-Ange n'est pas là ? demanda Julien.

– Non, elle n'a jamais été très cocktail, tu sais. Je vais la retrouver tout à l'heure au restaurant.

– Toujours ce petit rituel du dimanche soir ?

– Toujours. À Prague, à Milan, à Paris ou ailleurs. Les habitudes, que veux-tu... »

Il y eut un silence, comme si tous ceux présents dans cette salle avaient décidé de se taire en même temps, et Rigaud posa sa main sur le bras du jeune homme.

« Il faut qu'on se voie. Pour ton affectation, pour en parler.

– Avec plaisir. »

Philippe sortit de sa poche un portable qui avait l'air neuf, enfila ses lunettes et toisa l'appareil en relevant le menton.

« Mon précédent téléphone a grillé, littéralement. Il a fondu. J'ai perdu tous mes contacts. Il faut dire que je l'avais depuis Prague... Quel est ton numéro ? »

Julien se rapprocha et lui répondit tout en observant son index gonflé taper les chiffres sur le clavier virtuel. À la fin, Rigaud eut un petit pincement de lèvres.

« Dis-moi si tu me reçois », fit-il en l'appelant.

Julien vérifia sur son téléphone.

« C'est bon.

– C'est quand, ton rendez-vous ?

– Mardi.

– Voyons-nous dans la foulée. On fêtera la nouvelle, et surtout je t'expliquerai comment t'en sortir dans un panier de crabes comme la RP.

– J'adorerais.

– Mon agenda est dans mon manteau, au vestiaire. Je t'envoie un SMS dès que je le récupère. »

Une femme venue se joindre au groupe attendit qu'il termine sa phrase pour lui lancer un « Bonsoir, monsieur Rigaud » un peu autoritaire. Elle avait des yeux de husky, les cheveux tirés en arrière et l'assurance factice que confère l'ivresse. À sa manière d'insister sur « monsieur Rigaud », il parut évident qu'elle avait l'habitude de l'appeler par son prénom, et tous ceux qui l'entendirent pensèrent la même chose : elle avait été (et était peut-être encore) sa maîtresse.

Julien décida de s'éclipser. Cette conversation avait suffi à lui changer les idées. Un document l'attendait sur l'écran de son ordinateur, qu'il n'avait même pas pris la peine d'éteindre, une note sur l'insécurité dans les camps de réfugiés du Soudan du Sud qui n'allait pas s'écrire toute seule. Il devait retourner au ministère.

Il pressa amicalement le bras de Philippe qui, hypnotisé par la femme aux yeux clairs, le salua d'un petit coup de menton.

2

Par la fenêtre ouverte lui parvient le bruissement des tilleuls bordant l'esplanade des Invalides. Leur parfum de miel aussi, par intermittence. Il adore travailler à cette heure-là, dans le silence de la nuit, à la lumière de sa lampe de bureau. Se trouver seul dans le service, et probablement à l'étage. Le temps paraît plus long, et de meilleure qualité.

Son bureau offre l'une des plus belles vues de Paris, il s'en réjouit d'autant qu'il le doit à un malentendu. Il a pris ses fonctions au cœur de l'été, deux ans plus tôt. Un 12 août. Tout le service était en vacances. C'est un vigile qui l'a accueilli ce matin-là. Un vieil alcoolique à qui on avait laissé des consignes et qui l'a accompagné en disant : «Vous avez de la chance, monsieur Suchet, c'est pas tout le monde qui a un bureau aussi beau.» En découvrant la vue à couper le souffle, Julien n'a pas jugé utile de lui préciser qu'il n'était pas M. Suchet. Et quand le vrai Suchet s'est pointé, dix jours plus tard, Julien a pris son air le plus innocent. « Je ne comprends pas, on m'a installé ici le jour où je suis arrivé. » L'autre, nouveau venu lui aussi dans le service, n'a pas eu le cran d'insister et s'est logiquement retrouvé dans le bureau qui aurait dû être celui de son collègue, une petite pièce donnant, côté cour, sur le toit en zinc d'une remise dans les jardins de l'hôtel du ministre.

Les travailleurs humanitaires sont eux aussi exposés à des risques accrus. L'an dernier, six d'entre eux ont été massacrés dans le comté de Maban...

Un tintement de clochette le tire de sa lecture.

Il vient de recevoir un SMS.

> Vendredi soir, pour moi,
> ça marche.

Rigaud. Vendredi soir. Le voir, pour parler de son affectation. Trois jours après son rendez-vous à la DRH.

Vendredi, pour lui, ça marche aussi. Il est invité à un pot de départ au service de presse ce soir-là, mais ce sera court, rien ne l'empêche de faire les deux.

Il s'apprête à répondre quand il reçoit un autre message.

Pas de Philippe, cette fois.

> Enfin rentrée.
> Galère de train.
> Fuck la CGT.
> Je suis morte.

Pauline.

Elle arrive de Nantes.

La bouche de Julien dessine un sourire.

> T où?

> Au Quai.

Il consulte l'heure dans le coin de son ordinateur. 21 h 56. Il est encore là pour au moins deux heures.

> Je bosse sur une note

> Tant pis pour moi :-(

Il adore quand elle est comme ça. Quand elle lui fait comprendre qu'elle a une idée derrière la tête. Dans ces moments-là, elle peut se révéler aussi directe qu'un homme.

Il se penche en avant, éteint sa lampe de bureau. La pièce n'est plus éclairée que par les lumières de la ville – les candélabres de la rue Robert-Esnault-Pelterie, la verrière illuminée du Grand Palais, le dôme des Invalides –, c'est d'un luxe inouï.

Il se rassied, se renverse en arrière dans son fauteuil, pose ses pieds sur le bureau.

Il sourit. Ses yeux se posent au hasard sur l'écran de son ordinateur. Il lit les mots *six d'entre eux ont été massacrés*, détourne le regard et réfléchit en desserrant son nœud de cravate.

> Ma main remonte le long de ta cuisse mes doigts glissent sous ta culotte, font claquer son élastique

> Demande-moi ce que tu m'as demandé à Royan

Royan. Il se souvient très bien de ce qui s'est passé là-bas. C'était il n'y a pas longtemps, en juin, dans la chambre d'enfant de Pauline, avec sa mère qui dormait juste en dessous...

Il sent l'excitation monter en lui, se penche en avant, délace ses richelieus et reprend sa position initiale.

> T'as pas envie?

> À ton avis?

> Demande-le-moi

> Pardon, plutôt jeudi soir.

Hein? Qu'est-ce que...?

Rigaud. Julien l'avait oublié. Son SMS a chassé celui de Pauline... Jeudi au lieu de vendredi, ça devrait le faire. C'est même mieux...

La tour Eiffel qui se met à scintiller lui fait relever la tête.

22 heures. Les étincelles sur ce monument comme les zones de plaisir sur un corps qui va jouir. Le corps de Pauline. Son corps à Royan. Jamais ils n'oublieront ce moment, ni l'un ni l'autre. C'est drôle, de le réaliser. Les autres fois s'effacent, c'est automatique, ils les oublieront toutes ou pratiquement, mais Royan, ils y penseront encore, l'un et l'autre, dans plusieurs années. C'est un souvenir tellement précis. Leur peau que la journée à la plage avait rendue brûlante, l'odeur de propre de la chambre de jeune fille, la sensation électrique du drap-housse. Et cette phrase, cette phrase énorme qui lui est venue aussi naturellement que s'il lui demandait de lui passer la crème solaire, cette injonction ridicule qui ne les fit pas rire, parce que ce n'était pas une blague mais une déclaration de confiance, de confiance absolue...

> Assieds-toi sur ma bouche

Il envoie le message. Et, au moment où son index se pose sur la petite enveloppe du smartphone, il réalise. Il réalise qu'il n'est pas retourné dans l'échange avec Pauline et qu'il est en train de répondre à Rigaud. Il réalise qu'il est en train de demander à Philippe Rigaud de s'asseoir sur sa bouche !

Il lance son portable dans la pièce, se couvre le visage des deux mains et se fige, paralysé par l'horreur.

Dix secondes absurdes s'écoulent puis il bondit de son fauteuil et se jette sur son téléphone en suppliant :

« Non, non, non... »

Il y a trois messages sous le nom « Philippe Rigaud ». Deux sur fond jaune, envoyés par Rigaud, à 21 h 54 puis à 22 h 00 : *Vendredi soir, pour moi, ça marche* et *Pardon, plutôt jeudi soir*. Puis un troisième, sur fond bleu, la réponse de Julien, envoyée à 22 h 01 : *Assieds-toi sur ma bouche...*

Nooooon !

C'est foutu, sa carrière est foutue, sa vie est foutue ! Avec un autre message, même un sexto, il s'en serait peut-être tiré, mais pas avec celui-là, cette image-là, ces mots-là. Il y a des mauvais pas dont on se sort, celui-ci n'en fait pas partie.

Il est par terre dans une position ridicule, le visage écrasé contre la moquette grise et rêche du ministère, les fesses en l'air comme s'il était en train de prier, sauf qu'il ne prie pas. Il ne bouge pas, rien ne bouge en lui, rien d'autre que ses lèvres articulant :

« Quel con, mais quel con... »

Il pense à Rigaud, à qui il est, à son parcours. Inspecteur général adjoint des Affaires étrangères, officier de la Légion d'honneur. Rigaud qui a été consul général de France, chef du protocole. Rigaud qui dit « Nous déjeunions avec Mikhaïl » en parlant de Gorbatchev, qui tutoie Jacques Chirac.

Quel con, mais quel con !

Pourquoi n'y a-t-il pas sur les portables une fonction permettant d'annuler un message qu'on vient d'envoyer ? Sérieusement ? Comme pour les tweets ou les commentaires sur Facebook ?

Il se lève péniblement, s'approche de la fenêtre, regarde la tour Eiffel qui s'éteint sous ses yeux.

Il sent un poids sur ses épaules, ses gestes sont ralentis.

Ça lui est déjà arrivé, il n'y a pas longtemps. Sa tante lui a envoyé un texto lui apprenant que son mari venait de mourir d'une embolie. Julien, qui pensait écrire à son frère (tout juste admis à l'ESCP), lui a répondu par des smileys...

> Jean nous a quittés cette nuit.
> Jusqu'au bout, il aura fait preuve de courage.
> J'ai si mal à mon tour.

Il a rattrapé le coup en l'appelant aussitôt et en lui disant la vérité : les émoticônes étaient destinées à Frédéric – jamais il n'aurait répondu à un tel message par des émoticônes. La pauvre femme n'était pas sûre de comprendre de quoi il lui parlait. Dévastée par le chagrin et abrutie par les sédatifs, elle n'avait pas prêté attention à sa réponse (pour tout dire, elle ne se souvenait même pas lui avoir écrit).

Seulement Rigaud n'est pas sa tante. Julien et lui ne sont pas intimes. Leur seul lien, c'est le ministère. Impossible de l'appeler pour lui expliquer qu'il s'est trompé, qu'il pensait répondre à Pauline, qu'il n'a pas du tout envie que Philippe s'asseye sur sa bouche... Il ne peut pas avoir cette conversation avec Philippe Rigaud, personne ne le peut...

Ding!

Il a reçu un message.

Il ne redoute même pas de le découvrir, même si c'est Rigaud qui lui répond – il ne pourrait pas tomber plus bas...

C'est Pauline.

> Que pasa?

Que pasa? Il n'a pas la force de lui expliquer, pas l'énergie, pas tout de suite.

Il lace ses chaussures, sort du bureau, du service, emprunte l'escalier monumental, descend les trois étages en trombe et se retrouve au rez-de-chaussée, face aux panneaux d'affichage dédiés à la vie associative et syndicale. Il s'approche de celui qui se trouve le plus à droite, passe la main derrière et en sort un paquet de Marlboro Lights.

Il ne fume pas. Rarement, disons. Cinq, six cigarettes dans le mois. Mais s'il en avait sous la main – sur lui, dans son bureau ou son appartement –, il ne pourrait pas se retenir, il fumerait tout le temps. Il a donc pris l'habitude de planquer un paquet dans un rayon raisonnable de son lieu de travail dans lequel il vient piocher quand il en a vraiment besoin. Il faisait pareil à Sciences Po, où il cachait ses Benson & Hedges derrière un panneau d'interdiction de stationner, sur le campus.

Il prend une cigarette, une deuxième, et remet le paquet en place. Puis il remonte au troisième étage. Il va chercher le briquet qui se trouve dans son bureau et reprend l'escalier, cette fois jusqu'au cinquième. Là, juste avant d'arriver à la direction d'Amérique, il pousse une porte sur sa droite. Il entre dans les toilettes des hommes, une vaste pièce carrelée à l'odeur de chlore et de moisi qu'il traverse sans s'arrêter. Il se plante devant la fenêtre, allume une cigarette et ouvre. Une bourrasque chaude s'engouffre aussitôt à l'intérieur. Julien s'agrippe au balcon, grimpe sur le rebord de la fenêtre, fait un pas sur le côté et s'adosse au mur de pierre. Là, voilà. Il tire une longue taffe en regardant Paris. Ses mèches blondes et sa cravate club volent dans tous les sens, comme sur la proue d'un navire. Il ne prévoit pas de sauter, il a seulement besoin de faire le point et ne connaît de meilleur endroit pour ça.

3

À 22 h 01, Marie-Ange et Philippe Rigaud franchissaient le seuil de leur appartement, rue de Bellechasse. Ils arrivaient du restaurant, d'une de leurs tables préférées, un établissement réputé où l'on servait une cuisine bourguignonne à leur image, bourgeoise mais sans ostentation, riche mais pas indigeste.

Ils rentrèrent chez eux sans se parler, de la même façon qu'ils avaient dîné sans pratiquement échanger un mot. Ce qui, du reste, ne semblait pas leur poser de problème. À table, Philippe couvrait le silence en émettant des petits bruits de mastication ou de respiration, et s'occupait en jetant des coups d'œil à son téléphone portable ou en s'entretenant avec le personnel (le sommelier était pour ainsi dire un ami). Il lui arrivait aussi d'attraper *Le Monde* qui traînait sur la banquette et de se mettre à le lire, mais c'était rare et uniquement entre les plats.

Marie-Ange, elle, mâchait sa nourriture avec application en observant ce que le miroir monumental derrière son mari lui donnait à voir de la salle ou, simplement, les yeux perdus dans le vide. Elle laissait parfois échapper un petit commentaire, comme si elle se parlait à elle-même. « Cette andouillette, c'est une merveille » ou « Je suis déjà grise, moi ». Mais, en général, elle restait silencieuse, absorbée par ses pensées qui, quelquefois, sans qu'elle le réalise, lui faisaient esquisser un sourire ou lever un sourcil en signe d'étonnement.

Rue de Bellechasse, l'appartement s'organisait autour d'un vestibule d'une taille inhabituelle, décoré dans un style que l'on pourrait qualifier de « prépompidolien » : moquette beige au sol et vieux rose aux murs, console Louis XV, tabouret en soie vert amande de la même époque, petit candélabre doré ; et, pour contrebalancer le côté vieille France, chaise en plastique transparent, grosse lampe en verre blanc dans l'esprit de Vasarely et affiche encadrée d'une exposition Chagall à Menton en 1962.

Ce vestibule était le cœur véritable de l'appartement. On s'y sentait bien, un peu comme on a plaisir à se tenir dans un beau hall d'hôtel. On s'y sentait bien pour penser, lire une lettre, mûrir une réflexion, avoir une conversation importante, de visu ou au téléphone. C'est là, entre autres, que le couple avait décidé d'acheter une BX et, plus tard, un deux-pièces aux Sables-d'Olonne, que Marie-Ange avait eu l'idée de reprendre ses cours d'art floral, qu'ils avaient appris que leur fille avait eu le bac et que la mère de Philippe était morte. Pour une raison finalement mystérieuse (la présence du téléphone fixe sur la console n'expliquait pas tout), il se passait toujours plus de choses dans ce vestibule que dans le reste de l'appartement, et cette soirée en fournirait à nouveau l'éblouissante démonstration...

Ils entrèrent, donc. Philippe devant son épouse, mais il avait une excuse : il devait aller aux toilettes et ne pouvait plus attendre. Il enleva sa veste qu'il jeta sur la chaise en plastique et, sans plus de cérémonie, fila à l'autre bout de l'appartement.

Marie-Ange fit deux pas dans le vestibule et entreprit de se mettre à l'aise. Alors qu'elle dénouait le foulard qu'elle avait autour du cou, elle remarqua la veste de son mari, sur le point de glisser de la chaise sur laquelle il l'avait jetée. Elle s'empara du vêtement dans l'idée de le ranger à sa place, dans la penderie, et aperçut alors le téléphone de Philippe qui clignotait dans une poche.

Elle s'en saisit sans penser à mal, dans le but de le déposer sur la console afin que son mari n'ait pas à le chercher. Ce faisant, son doigt effleura l'écran tactile qui s'illumina aussitôt. Un bandeau jaune signalant un message apparut sur l'écran. À cause de l'heure avancée, elle pensa à Michèle, sa fille, leur fille, qui vivait aux États-Unis[1]. Compte tenu du décalage horaire, il était fréquent que la jeune femme cherche à joindre ses parents à cette heure, surtout le week-end. Et c'est ainsi que, sans la moindre arrière-pensée, Marie-Ange Rigaud résolut de lire le message envoyé à son époux à 22 h 01.

Heureusement qu'elle se trouvait à proximité de la chaise. Elle s'y laissa tomber et, pendant dix bonnes secondes, s'y tint immobile, les yeux rivés sur l'appareil dont l'écran s'éteignit rapidement.

Une certaine « J. Fontana », que Philippe suggérait de rencontrer jeudi soir, lui demandait de s'asseoir sur sa bouche. Pourquoi pouvait-on vouloir une chose pareille ? Était-ce envisageable compte tenu du poids de son mari (qui dépassait les 100 kilos) ? Ne risquait-on pas l'étouffement, l'asphyxie ?

Elle pressentait vaguement l'intention sexuelle de la requête, mais ce qui l'impressionnait surtout, ce qui l'empêchait de se relever, c'était qu'on s'adresse à son époux d'une manière aussi abrupte, péremptoire – qu'une femme, en particulier, en soit capable.

---

1. Marchant sur les traces de son père auquel elle vouait une admiration excessive, Michèle travaillait au consulat d'Atlanta.

Car, évidemment, elle ne fit aucun rapprochement avec Julien Fontana, alors même qu'il lui avait été présenté deux fois. Mais c'était plusieurs années plus tôt, à Prague, et, n'ayant aucune raison de le retenir, elle avait complètement effacé ce nom de sa mémoire. Et puis, son mari n'étant pas homosexuel, elle était loin d'imaginer que le « J » de « J. Fontana » était l'initiale d'un prénom masculin.

Le bruit de la chasse d'eau se fit entendre à l'autre bout de l'appartement. Philippe n'allait pas tarder à revenir. Marie-Ange le mettrait devant le fait accompli, lui montrerait le message, il fournirait une explication qui ferait parfaitement sens et la messe serait dite. Elle le connaissait. Il était apathique la plupart du temps, mais c'était pour mieux mordre quand il en avait besoin. L'affaire serait enterrée en moins de temps qu'il avait passé aux toilettes.

Cela faisait trente-deux ans qu'il la manipulait de la sorte (ils s'étaient mariés en 1984), trente-deux ans qu'elle ravalait sa fierté et pardonnait. Mais pas cette fois. Cette fois, les choses se passeraient autrement. Cette fois, elle saurait.

En un éclair, elle comprit qu'elle ne devait rien dire. Mais qu'elle garde le silence ou pas, si Philippe récupérait son téléphone, il découvrirait le message et l'effacerait aussitôt... Son pas lourd se rapprochait, il fallait se décider... Alors elle décida de ne pas lui rendre son portable. De le garder. De le voler, en quelque sorte.

Tout se joua à un fil. Marie-Ange, qui n'avait pas le temps de chercher un meilleur endroit, glissa l'appareil sous ses fesses in extremis. Philippe se planta à un mètre d'elle, la regarda en faisant la grimace et déclara :

« Je me demande si le bouillon n'était pas un peu aigre. »

Il se frotta le ventre en continuant d'observer son épouse, aussi stoïque et ridicule sur sa chaise qu'une poule couvant ses œufs. Puis il pivota sur lui-même, dit « Tu feras attention, tu es assise sur ma veste » et retourna là d'où il venait.

Marie-Ange, qui le connaissait par cœur, savait qu'il se rendait dans la salle de bains, chercher un cachet de citrate de bétaïne. Rien de tel pour faire passer les ballonnements.

Lundi

4

Elle réapparut dans le vestibule à 4 h 48, ce matin-là. Il aurait été plus sage d'attendre le départ de Philippe pour le ministère mais cette histoire de message l'obsédait, elle mourait d'envie de découvrir l'identité de cette J. Fontana.

Et puis, à quoi bon rester couchée puisqu'elle ne pouvait plus dormir? Deux heures de sommeil lui avaient suffi, elle ne ressentait aucune fatigue. Il faut dire qu'elle avait toujours été une grosse dormeuse. Elle faisait rarement des nuits de moins de dix heures, en plus d'une courte sieste l'après-midi. L'un dans l'autre, elle devait être en excédent de sommeil.

Elle savait parfaitement ce qu'elle avait à faire. Elle y avait longuement pensé, dans son lit, étendue à côté de son mari qui, pour sa part, ne semblait avoir aucun problème de sommeil – ni d'ailleurs de digestion ou d'évacuation des gaz intestinaux (comment il parvenait à produire autant de bruits sans jamais se réveiller constituait l'un des grands mystères de l'existence pour son épouse).

Bien sûr, elle aurait pu simplement appeler J. Fontana, dont le téléphone de Philippe affichait le numéro. Dans le meilleur des cas, l'autre aurait répondu puis, comprennant qui la contactait, aurait raccroché, alerté son amant, changé de numéro, etc. Le contraire de ce que recherchait Marie-Ange, qui souhaitait avoir une vraie conversation avec elle et, peut-être plus encore, voir de quoi elle avait l'air.

Elle récupéra le portable, qu'elle avait caché à l'étage le plus élevé de la penderie, sous une impressionnante pile de couvertures et d'édredons, de peur qu'il se mette à sonner. Elle ignorait comment on faisait taire ce smartphone dernier cri autrement qu'en l'éteignant, ce qu'elle devait éviter puisqu'elle ne connaissait pas le code pour le rallumer[1].

Elle s'assit sur la chaise en plastique et fit glisser son doigt sur l'écran. Le téléphone s'illumina en affichant

---

1. Philippe, qui ne retenait jamais les codes et les mots de passe, n'avait installé qu'un code d'allumage sur son téléphone. C'était une chance. En veille, l'appareil se déverrouillait en effleurant simplement l'écran.

une charmante photo de Michèle et de sa fille, Amy. Il ne signalait aucun message, aucun appel en absence, et sa batterie était chargée à 34 %.

Marie-Ange commença par consulter les messages de son mari. Le dernier en date était celui de J. Fontana, la veille. L'échange comptait trois SMS. Il y en avait certainement eu d'autres (une femme peut difficilement demander à un homme de s'asseoir sur sa bouche lors d'une première prise de contact), mais Philippe devait les effacer au fur et à mesure.

Elle s'intéressa ensuite aux coups de fil. La veille, son époux avait été appelé à deux reprises : à 17 h 49, par « M. Perroni » (Marc Perroni, un collègue de l'Inspection), et à 18 h 33, par Lufthansa (il voyageait beaucoup, pour son travail). Surtout, il avait téléphoné à J. Fontana à 20 h 32, heure à laquelle il fêtait (prétendument) le 4 Juillet à l'ambassade des États-Unis. Étrangement, la communication n'avait duré que deux secondes. Que peut-on se dire en deux secondes ? Marie-Ange releva sa tête décoiffée et se mit à compter mentalement. Une, deux... Rien. Rien de significatif. Même en parlant très vite. Bizarre.

Elle jeta ensuite un œil dans les e-mails mais n'y fit aucune découverte. Philippe utilisait surtout son adresse professionnelle. Le courrier le plus récent dans sa boîte personnelle avait été envoyé par Orange dix jours plus tôt et n'avait même pas été ouvert...

Des messages succincts, des échanges effacés, un appel si court qu'il ne pouvait s'agir que d'un code : tout cela sentait la cachotterie à plein nez. La dissimulation. L'illicite. Non seulement Marie-Ange se sentait confortée dans ses soupçons, mais elle avait la conviction qu'elle était sur le point de découvrir un secret plus important que ce qu'elle imaginait.

Elle prit place face à l'ordinateur posé sur la console, passa une main derrière l'unité centrale, jeta un œil en direction de la chambre (où les ronflements battaient leur plein) et alluma. L'appareil se mit à crépiter et, au bout de quelques secondes, la musique de démarrage Windows résonna dans l'appartement, laissant place à un silence de mort. Plus aucun bruit en provenance de la chambre. Le ventre de Marie-Ange gargouilla et, comme si c'était un signal, les ronflements reprirent aussitôt.

La main crispée sur la souris, elle attendit que toutes les icônes apparaissent, ce qui prit un temps infini. Cet ordinateur avait plus de 10 ans d'âge, Rigaud l'avait récupéré en 2010 quand le ministère avait profité de son départ de la rue La Pérouse pour brader son matériel informatique daté auprès de ses employés.

Marie-Ange cliqua sur Internet Explorer et se rendit sur le site des Pages jaunes. Sur la page d'accueil, dans la case réservée au nom, elle entra « J. Fontana » et, dans celle du lieu, « Paris », « Hauts-de-Seine » et « Yvelines ».

Elle n'imaginait pas que la maîtresse de son mari puisse habiter dans le Val-de-Marne. Quant à la Seine-Saint-Denis, elle en ignorait pour ainsi dire l'existence. Elle retint sa respiration et cliqua sur la loupe. Instantanément, le site afficha une série de noms dont le premier lui sauta aux yeux :

Jany Fontana
3, rue de Rochechouart, 75009 Paris
Artiste-sculpteur

Son regard glissa sur les suivants : *Julien Mathieu Fontana, Charlotte Fontana, Fontana Rossa (restaurant), Robert et Martine Fontana, Weiss Fontana SARL, Jérôme Fontanel...*

Inutile de perdre du temps, cette Jany était la personne qu'elle cherchait, elle le savait, elle le sentait. Une artiste-sculpteur : exactement le genre de femme libre et indépendante qui séduisait son mari.

Elle l'imaginait la rejoindre pendant sa pause déjeuner, dans un atelier avec verrière monumentale donnant sur une cour arborée. Elle le voyait, brûlant de désir, se jeter sur cette femme nue sous sa chemise ample sous l'œil indifférent de statues d'argile. Elle se la figurait brune, les cheveux rassemblés dans un chignon lâche, plus jeune que Philippe mais pas une jeune fille non plus. Un corps mince, des os saillants, des seins lourds. Un beau visage d'Italienne porté par un cou aux rides marquées, un long cou de danseuse...

Bien sûr que c'était dans ces bras-là que Philippe allait se réparer, se consoler de l'échec de son mariage, de la rectitude du ministère, du passage du temps. Dans les bras de cette femme en tout point différente d'elle.

Tout à ses projections intérieures, elle ferma Internet et éteignit l'ordinateur. En quittant le tabouret, et alors que la lumière du jour commençait à éclairer le salon, elle réalisa qu'elle n'avait pas noté l'adresse de Jany Fontana. Peu importe, elle avait tout dans la tête.

5

Comme beaucoup d'hommes au Quai d'Orsay, à l'Assemblée et dans les ministères environnants, Julien accordait la couleur de ses chaussettes à son humeur. Il le faisait surtout à l'intention de Pauline, qui adorait se livrer au jeu des interprétations. Rouge cardinal, il avait la gnaque – une furieuse envie de faire l'amour ou une bonne nouvelle à partager. Bleu ciel, il était heureux d'un bonheur sans nuages ou portait simplement son costume «Matteo Renzi». Bleu nuit, il était heureux mais croulait sous le boulot. Quant au noir, c'était la couleur des rendez-vous importants, des réunions chiantes – celle qu'il porterait le lendemain, par exemple, pour son entretien à la DRH.

Ce matin-là, évidemment, elles étaient grises. Gris plomb, gris février. Gris je n'ai même pas envie de jouer au code couleur. Le moral était au plus bas.

Ce n'était pas une surprise pour Pauline, qu'il avait appelée, la veille au soir, du balconnet des toilettes, au cinquième étage du ministère. Abasourdis tous les deux (leur conversation avait surtout consisté en de longs silences), ils n'avaient rien décidé d'autre que de se voir le lendemain. Rendez-vous fut pris à 7 h 45 à la terrasse du Transit, le restaurant de l'aérogare des Invalides où, par beau temps, on avait un peu l'impression d'être à Juan-les-Pins. Et, en ce 5 juillet, le ciel était parfaitement clair au-dessus de Paris...

« Rigaud, c'est quel genre de type ? demanda Pauline en jouant avec sa petite cuillère.

– Le genre à qui tu n'as pas envie d'envoyer un message pareil. Sérieux, carré. Démocrate-chrétien, tu vois ? Aucune fantaisie. Enfin, pas que je sache. Tu sais ce qu'il fait de son temps libre ? Il écrit un livre sur Nevers. Une histoire de la ville de Nevers. Voilà. Rigaud, c'est ça.

– Il est en fin de carrière, non ?

– Oui, j'ai vérifié sur Diplonet. Il lui reste deux ans à tirer. »

Julien, qui avait peu dormi, portait une paire de Persol qui parvenait mal à masquer sa fatigue. Il ne s'était pas rasé et avait un épi dans les cheveux. Mais, même comme ça, Pauline le trouvait irrésistible. Surtout comme ça. Ses mèches blondes étincelaient au feu du soleil radieux. Sa barbe naissante virilisait son visage poupon – ce visage de petit prince avec sa bouche comme une cerise. La fatigue freinait les gestes de ses longues mains, de ses doigts effilés aux ongles parfaits qui, pour une fois, se donnaient le temps d'être admirés.

« C'est un grand diplomate ?

– Non. Pas charismatique mais plutôt bon sur les dossiers. Il rassure. Il n'a jamais été ambassadeur mais il a été consul général. Les gens le trouvent cassant. Moi, je l'aime bien. On s'est bien entendu quand j'étais à Prague.

– Énarque ?

– Non. Je ne suis même pas sûr qu'il ait fait Sciences Po.

– Et... il est marié ?

– Tu veux savoir s'il y a une chance qu'il apprécie que je lui demande de s'asseoir sur ma bouche ? Aucune. Il est marié, il aime les femmes. Un peu trop, même, à ce qu'on dit. Il aurait des maîtresses. »

Pauline entrait elle aussi dans la catégorie *beautiful people*. Dans son cas, on pouvait même parler d'*extremely beautiful people*. La beauté de Julien avait une dimension sociale, il faisait envie comme pouvait faire envie une jeunesse dorée dans les beaux quartiers de Paris, des vacances au Cap-Ferret ou une paire de John Lobb. Pauline, elle, séduisait au premier degré. À la manière d'une Sophia Loren à ses débuts, qu'elle rappelait vaguement avec ses yeux en amande, sa taille de guêpe et ses longs cheveux noirs. Dans la rue, les petits garçons arrêtaient de jouer pour la regarder passer. En retour, elle leur envoyait des œillades. Aux plus grands, sa beauté était comme un juron : voilà ce que c'est qu'être beau, tu t'es raconté des histoires jusque-là, tu peux rentrer chez toi.

Elle enfila ses lunettes de soleil et tourna la tête du côté des Invalides. Elle avait l'habitude des situations de crise puisqu'elle était l'assistante d'une députée d'une circonscription sarthoise à problèmes. Mais si elle connaissait les trucs pour contenir les coups de sang d'éleveurs en colère, si elle maîtrisait parfaitement les éléments de langage de la filière laitière, elle n'avait aucune expérience en matière de sexto envoyé par erreur à un diplomate à deux ans de la retraite.

Elle retira ses lunettes et braqua son regard sur Julien.

« Va le voir. Ce matin. Maintenant. Va le voir et désamorce le truc. Ne laisse pas la mayonnaise prendre. Tu lui dis n'importe quoi. Que c'est un pote qui t'a piqué ton portable à une fête d'anniversaire, que c'est ton petit neveu qui t'a fait une farce. Ce qui compte, c'est la manière dont tu lui dis. Il faut que tu sois détendu. Tu regrettes, bien sûr, mais tu es bien conscient que ça n'a aucune importance. D'ailleurs, tu embraies sur autre chose... Pourquoi il voulait te voir jeudi soir ?

– Pour me briefer sur la RP à New York.

– Parfait ! Tu vas le voir pour ça. Pour ton affectation. Demande-lui un truc précis sur la RP, un truc à la con mais pas débile non plus. Il faut que ce soit le souvenir qu'il garde de ton apparition, il faut qu'il se dise "Fontana est venu me voir pour me poser une question sur la RP"...»

Elle s'arrêta : l'un des deux portables posés sur la table venait de signaler l'arrivée d'un message. C'était celui de Julien, qui mit un peu de temps à réagir.

Il se saisit de l'appareil d'un geste las, retira ses lunettes et approcha le portable de ses yeux.

«Putain, c'est lui, dit-il en se redressant sur sa chaise.

– Qui ?

– Rigaud.

– Qu'est-ce qu'il veut ?»

Il n'eut pas la force de répondre.

Il lui tendit le téléphone puis croisa les bras sur la table et y enfouit la tête.

Pauline fronça les sourcils et découvrit le message envoyé par l'inspecteur général adjoint à 8 h 04 :

Avec plaisir.

6

Arrivée rue de Rochechouart un peu avant 8 heures, elle était passée et repassée devant le n° 3 sans s'arrêter, l'air de rien. Évidemment, l'accès était protégé par un digicode.

De l'autre côté de la rue se trouvait un café, le Maryland, où elle s'était assise, près de la vitre, sur une chaise en osier offrant une vue imprenable sur l'entrée de l'immeuble. Elle avait posé le téléphone de son mari sur la table devant elle et commandé un thé qu'on lui avait servi dans une tasse marquée d'une trace de rouge à lèvres. Elle n'avait pas osé protester et avait bu lentement, du côté propre, sans lâcher du regard la petite porte vitrée.

Jany Fontana finirait bien par se montrer. Bien sûr, c'était une artiste, elle devait avoir des horaires bizarres et passer beaucoup de temps dans son atelier, mais elle sortirait forcément à un moment donné. Pour acheter des cigarettes, par exemple (elle fumait, à coup sûr). Marie-Ange l'attendrait toute la journée s'il le fallait. Elle n'avait rien d'autre à faire (elle avait beaucoup de temps libre, c'était bien connu) et Philippe, qui la croyait en train de faire les soldes, ne s'inquiéterait pas.

La porte s'était ouverte, deux fois. Une femme était sortie, à peine coiffée, pas mieux habillée, l'air exténué et poussant un landau monstrueux. Cette femme-là ne pouvait pas avoir envie que Philippe s'assoie sur sa bouche, c'était impossible. Dix minutes plus tard, c'était au tour d'un adolescent qui, visiblement, sortait de son lit et n'était pas en avance. Depuis, rien.

Quel quartier... Où couraient tous ces gens ? Avaient-ils tous un travail, des responsabilités ? Ça vibrait, sonnait, alertait de partout. Ça démarrait, klaxonnait, vélibait, chargeait, déchargeait. Ça commandait des grands crèmes et des tartines beurrées. *Il a tout réussi, sauf la chimie... Je peux pas attendre, j'ai rencard à Gisors... Un euro, c'est un euro, jusqu'à preuve du contraire...* Comment faisaient-ils, tous, pour tenir, ne pas s'écrouler ? Rue de Bellechasse, les gens n'avaient pas l'air si pressé. Ni si voûté. Et il n'y en avait pas autant. Les Chinois, surtout. Elle n'en avait jamais vu autant ailleurs qu'en Chine...

Elle avait chaud.

« Excusez-moi, vous auriez la même chose en froid ?

« – Du thé glacé, vous voulez dire ?

– C'est ça.

– Lipton mangue ou citron.

– Citron, plutôt. »

C'est alors qu'une femme sortit de l'immeuble. Différente de ce qu'elle avait imaginé. Brune, jolie, mais plantureuse. Andréa Ferréol, époque *Grande bouffe*. Un type de beauté auquel Philippe pouvait aussi être sensible. Elle ne poussait pas de landau, portait un sac à main en bandoulière et, surtout, avait un téléphone dans la main gauche.

Elle descendait la rue. Dans une quinzaine de mètres, après le croisement, elle sortirait du champ de vision de Marie-Ange, qui comprit qu'elle n'avait pas une seconde à perdre.

Elle se jeta sur le portable de son mari et, en réponse à *Assieds-toi sur ma bouche*, écrivit deux mots dont elle avait eu l'idée au milieu de la nuit : *Avec plaisir*.

Elle envoya le message, releva la tête.

Si la brune était Jany Fontana, son téléphone ne tarderait pas à se manifester. Alors, immanquablement, elle y jetterait un œil.

Rien n'arriva. Puis, au bout de quelques secondes, sur le point de traverser la rue, l'inconnue s'arrêta pour laisser passer une camionnette. Et, là, elle consulta son portable.

49

Marie-Ange bondit de sa chaise et quitta son poste d'observation. Elle y revint, trois secondes plus tard, pour prendre son sac qu'elle avait oublié, et sortit en trombe du Maryland. Elle traversa la rue en courant, sans regarder, et se retrouva rapidement sur l'autre trottoir, dans le sillage de la maîtresse supposée de son mari.

Celle-ci, sentant une présence dans son dos, se retourna et dévisagea la femme de Philippe comme si elle la reconnaissait (il avait dû lui montrer une photo).

« Y a un problème ? » lança-t-elle sans ménagement.

Marie-Ange ne se laissa pas démonter.

« Vous êtes Jany Fontana ?

– Qu'est-ce que vous lui voulez ?

– Ce n'est pas vous ?

– Bah, réfléchissez une seconde. Si je vous demande ce que vous lui voulez, c'est que... »

Elle s'arrêta, plissa les yeux et se mit à observer Marie-Ange de biais comme pour mieux la cerner. Ce qui n'était pas évident, le modèle étant assez peu répandu en dehors du 7e arrondissement...

Ce matin-là, elle portait un chemisier blanc légèrement échancré et un pantalon en toile bleu pâle retenu par une ceinture de cuir finement tressée. Aux pieds, une paire de mocassins plats bleu marine et blanc. Autour du cou, une simple perle de nacre telle une goutte de rosée apparue à la naissance de sa gorge. Sa chevelure, de plusieurs nuances de blond, était dense, lumineuse, parfaitement ordonnée. Son visage ne portait aucune marque d'épreuve, et à peine celle du temps.

Le look rue de Bellechasse, quoi. Le look rue de Bellechasse exporté à l'angle des rues Cadet et de Rochechouart, dans les relents de kebab, de beignets de crevette et de lotions de salons de coiffure africains.

L'inconnue se rapprocha. De près, elle faisait plus mastoc que gironde.

« Elle vous a fait un coup tordu, Fontana ? »

Marie-Ange, interloquée, recula d'un pas.

« C'est ce que je suis venue vérifier.

– Je vois le genre. Je vais vous confier un secret. On n'est pas très copines, elle et moi. On l'était mais on l'est plus. Une histoire de gaufrier emprunté, rendu endommagé. Une histoire de mauvaise foi, surtout. Ça coûte rien de s'excuser, ça prend deux mots. *Je m'excuse.* C'est pas grand-chose... »

Cette femme a besoin de parler, pensa Marie-Ange.

« Sauf que, pour certains, c'est le bout du monde. Mais, bon, j'insiste pas. S'énerver, c'est bon ni tôt le matin ni tard le soir. Et puis c'est la life, comme dirait ma fille... 26B12.

– 26B12 ?

– Le code de l'entrée, si vous voulez aller l'emmerder. Par contre, vous me connaissez pas, on s'est jamais vues.

J'ai pas envie de retrouver des crottes de chat dans ma boîte aux lettres.

– Je ne sais même pas qui vous êtes.

– Parfait ! répondit l'autre, qui fit mine de partir avant de se raviser. Dites, vous vous habillez comme ça aussi dans la vraie vie ? »

Là-dessus, elle partit dans un rire gras, désagréable, et tourna les talons.

Marie-Ange comprit qu'il s'agissait d'une pique mais n'y attacha pas d'importance. D'abord parce qu'elle n'avait pas la moindre idée de sa signification, et puis elle avait mieux à faire.

« 26B12 », répéta-t-elle pour elle-même en remontant la rue.

7

Philippe Rigaud eut un début de journée difficile. Marie-Ange, absente à son réveil, avait laissé un mot sur la table de la cuisine (en voyant la feuille pliée en quatre, posée contre son bol, il avait d'abord pensé à une lettre de rupture) :

Journée soldes avec Bertille.
Ne m'attends pas !

Marie-Ange

Les soldes avec Bertille ne lui posaient pas de problème particulier. Ce qui le gênait, c'était ce point d'exclamation qui n'avait aucune raison d'être. Et cette signature, tout aussi inutile. Comment faire comprendre à sa femme que même sans signature il n'aurait aucune chance de se méprendre sur l'auteur de cette lettre puisqu'ils étaient les seuls à occuper cet appartement ?

Entre deux gorgées de café, il secoua la tête en pensant que, si elle n'avait pas de jugeote pour ce genre de petites choses, elle serait incapable de se sortir de situations dans lesquelles des qualités de discernement s'avéraient déterminantes. Un kidnapping, par exemple. Elle se ferait zigouiller en moins de deux, c'est évident. Il les imagina – elle, retenue par un groupe quelconque, et lui, dans le bureau de l'ambassadeur de France à Islamabad, Caracas ou Beyrouth, attendant fiévreusement un coup de fil des ravisseurs... Tiens, d'ailleurs, où était son téléphone ?

Il le chercha, calmement d'abord, puis plus énergiquement. Il ne manquait plus que ça. Ce smartphone tout neuf que sa fille l'avait aidé à choisir. Il l'avait avec lui dans le taxi la veille au soir puisqu'il avait envoyé un texto à Julien Fontana. Il s'en souvenait très bien : il lui avait écrit juste avant de sortir du restaurant puis lui avait envoyé un message correctif du taxi. Comme le téléphone ne se trouvait nulle part dans l'appartement, il l'avait forcément laissé dans le taxi. Ça lui semblait étrange, il ne perdait jamais rien, mais c'était la seule explication. Il lui faudrait contacter G7, prévenir Orange... la barbe !

Chercher son portable lui fit perdre du temps. Or, ce matin, il n'en avait pas. Une réunion d'importance l'attendait au ministère. Une réunion préparatoire à un audit de la DABF, la Direction des affaires budgétaires et financières. Son chauffeur était en congé, ce qui n'était pas un problème, Philippe appréciant de se rendre à pied au bureau en cette saison. C'était un pur ravissement de voir apparaître la tour Eiffel en avançant dans la rue de Grenelle, d'entendre les oiseaux dans le parc de la résidence de l'ambassadeur de Pologne, de respirer le parfum nostalgique des tilleuls alignés le long de l'esplanade...

Enfin, c'était *normalement* un pur ravissement. Ce matin-là, pas du tout. Ce matin-là, il faisait une chaleur accablante dès 8 h 30 et Philippe, qui n'avait plus l'habitude de se presser, était arrivé en nage dans le hall du ministère. En nage, à bout de souffle et hirsute. À deux doigts de la crise cardiaque.

Le stress n'arrangeait rien. D'autant qu'à l'absence de Marie-Ange et à la perte de son téléphone était venu s'ajouter un événement qui acheva de le contrarier : alors que, déjà complètement défait, il se hâtait d'arriver au bureau, il avait aperçu Sabine Gouix à la terrasse du Transit, le café-restaurant en face du ministère. Une cigarette fumante à la main, elle offrait au soleil déjà chaud son visage barré d'une monstrueuse paire de lunettes noires. Sur la table, devant elle, son paquet de Winston était posé sur une grille de loto. Cette vision n'aurait pas dérangé Philippe si Mlle Gouix n'avait été sa secrétaire. Ce jour-là, à cette heure-là, elle aurait dû se trouver au cinquième étage du ministère en train de mettre la dernière main aux préparatifs de la réunion et non en train de se dorer la pilule à la terrasse du Transit !

En entrant dans le hall d'accueil, il se dit qu'il devait vraiment avoir une conversation avec elle, puis il se mit à chercher son badge. Ne le trouvant pas, il s'éloigna du portique et, à bout de nerfs, posa sa sacoche sur une table basse en soupirant bruyamment. Là, il aperçut son reflet dans une vitre et s'arrêta net. La transpiration dessinait une auréole bleu foncé autour de son col, sa chemise sortait de son pantalon et, surtout, il ressemblait de plus en plus à son père. Quand s'était-il mis à grossir de la sorte ? Enfin, pas vraiment grossir. Épaissir, plutôt. Épaissir de partout, uniformément. C'est ça, un peu comme si, avec le temps, il se transformait en limace.

Il finit par trouver son badge (qui avait glissé à l'intérieur de son portefeuille), passa le portique en saluant le gendarme en faction et emprunta le long couloir du rez-de-chaussée en se remémorant les points principaux du speech qu'il ferait en ouverture de la réunion. Il se planta devant l'ascenseur et, alors qu'il attendait ce qui lui semblait une éternité, il sentit Sabine Gouix apparaître à la droite de son champ visuel, lentement et sans faire de bruit, tel un gros poisson du fond des mers.

«Bonjour, monsieur Rigaud», marmonna-t-elle comme à regret.

Philippe, qui prévoyait de mettre les choses au point avec elle, s'imaginait mal lui répondre comme si de rien n'était. À l'inverse, même si ça correspondait plus à ses dispositions, il ne pouvait pas non plus la gifler. Il opta pour un entre-deux : un hochement de tête accompagné d'un pincement de bouche.

Le trajet se passa dans un affreux malaise, comme souvent dans cette cabine confinée transformée ce matin-là en hammam. Aucun mot ne fut prononcé, seul un long gargouillis d'angoisse se fit entendre entre le premier et le deuxième étage.

Au cinquième, ils sortirent de là et marchèrent ensemble vers l'Inspection.

Mlle Gouix était d'un contact désagréable. Grosse, vraiment grosse, limite obèse, elle avait deux addictions : la cigarette et le Yop. Tout au long de la journée, elle passait de l'un à l'autre pratiquement sans temps mort, ce qui, en plus de nuire gravement à sa santé, avait pour effet de lui conférer une odeur de bouche épouvantable. Comme, d'autre part, elle avait une fâcheuse tendance à transpirer (et encore plus par ces temps de forte chaleur), elle exhalait une odeur corporelle assez particulière elle aussi, où la sueur le disputait à l'insupportable Anaïs Anaïs, dont elle usait (et abusait) comme d'un remède à son problème de sudation. Le mélange des quatre éléments (tabac, framboise artificielle, transpiration, parfum) pouvait se révéler compliqué pour qui était amené à s'entretenir avec elle, notamment le matin...

« Bon, Sabine, je vais vous charger d'une mission très...

– Je m'appelle Sabrine.

– Pardon ?

– Je m'appelle Sabrine, pas Sabine. »

Philippe s'arrêta.

« Qu'est-ce que c'est que cette histoire ?

– C'est pas une histoire, c'est mon nom.

– Depuis quand ?

– Bah, depuis que je suis née.

– Et vous avez attendu tout ce temps pour me le dire ?

– C'est-à-dire que je n'ai jamais eu l'occasion de vous corriger. Vous ne m'appelez jamais par mon prénom. En général, vous ne m'appelez pas. »

Rigaud tombait des nues. Bien sûr qu'il l'appelait par son prénom. Il appelait toujours ses secrétaires par leur prénom... Sabrine, ça n'avait aucun sens, un peu comme s'il lui annonçait qu'il s'appelait Philippre. Sans compter que la pauvre fille avait déjà un patronyme qui ressemblait à un cri de cochon...

« Bon, dit-il en se remettant en marche. Alors, *Sabrine*, je vais vous charger d'une mission très importante et qui ne peut pas attendre. Vous loupez le début de la réunion, ce n'est pas grave, Anne-Lise prendra les notes... »

Il avait déjà constaté que, comme elle était d'une grande mollesse, il avait tendance à lui parler plus énergiquement qu'à n'importe qui d'autre.

« Elle est en stage, Anne-Lise. À Nantes.

– Ce n'est pas grave, on demandera au type des archives. Voilà ce que vous allez faire, écoutez bien. Vous allez appeler la compagnie G7 en leur expliquant que j'ai égaré mon téléphone dans un de leurs taxis hier soir et leur demander ce qui se passe dans ce cas-là... »

Ils étaient arrivés à l'entrée de l'Inspection. Mlle Gouix tendit le bras vers le boîtier et composa le code d'entrée.

« Dès que vous avez la réponse, continua Rigaud, vous l'écrivez sur un papier, vous venez dans la salle de réunion et vous me le faites passer. »

La porte se déverrouilla dans un grand clac ! Mais, au lieu de l'ouvrir, la secrétaire posa sur son patron deux yeux aussi ronds que s'il lui avait demandé de lui parler du théorème de Goodstein et déclara :

« Je sais pas faire ça, moi. »

Il faut dire qu'en plus d'être feignante, grosse et suante, elle était d'une exceptionnelle stupidité (lorsqu'elle marchait, elle semblait se demander ce que sa tête faisait posée sur son corps).

Quelques mois plus tôt, elle avait collé sur les enveloppes des 282 exemplaires du rapport annuel de l'Inspection générale des étiquettes d'adressage sur lesquelles un bug de l'imprimante faisait apparaître l'acronyme du Bureau international du travail (BIT) au début de chaque ligne. Ce qui donnait :

> *BITSon Excellence M. Jean-Noël Lapoya*
> *BITAmbassade de France aux États-Unis*
> *BIT4161 Reservoir Road, NW*

ou

> *BITM. Michel Poirier*
> *BITInspecteur général des Finances*
> *BITMinistère des Finances et de l'Économie*

Oui, elle s'en était aperçue. Tout de suite, avant même de coller sa première étiquette. Seulement, elle n'avait pas eu envie de « se retaper » les 282 étiquettes. Et puis elle ne voyait pas où était le problème puisqu'on arrivait malgré tout à « comprendre pour qui c'est ».

Philippe, lui, vit très bien où était le problème. Le jour même, il contacta la DRH pour demander la réaffectation de sa secrétaire. Décision fut prise de l'envoyer au service des archives du bureau de la Mélanésie, où son travail consisterait à coter des documents toute la journée. Là, elle pourrait faire autant d'erreurs qu'elle voulait, ça n'avait aucune importance puisque les documents en question étaient promis à la destruction.

Seulement, la chef du bureau de la Mélanésie, une petite lesbienne qui ressemblait à Tintin, prit assez mal qu'on lui envoie cette grosse mollasse sans lui demander son avis. Elle se fendit d'un appel à Rigaud pour lui expliquer qu'elle avait lu le dossier catastrophique de Mlle Gouix, que son service n'était pas la poubelle du ministère, que la Papouasie-Nouvelle-Guinée pouvait d'un jour à l'autre basculer dans l'anarchie, qu'elle recevait jusqu'à cinq demandes de consultation de documents hebdomadaires et que, comme deux de ses quatre employés étaient en arrêt maladie, c'est elle qui devait se farcir tout le travail...

Pour quelque raison, cette femme, qui n'était pas gradée, fit peur à Philippe : il l'imaginait capable de le suivre rue de Bellechasse pour lui faire la peau. Il rappela la DRH, qui l'informa qu'aucun autre poste de catégorie C n'était à pourvoir et, quarante minutes après en avoir été congédiée, Sabrine Gouix réintégrait l'Inspection générale...

« Je sais pas faire ça, moi » fut donc sa réponse à Philippe, ce matin-là.

Ce dernier sentit sa tension artérielle grimper de deux points.

« Mais y a rien à savoir faire ! explosa-t-il. Vous composez un numéro de téléphone, vous posez une question et vous notez ce qu'on vous répond ! C'est quand même pas sorcier, merde ! Un singe bien dressé y arriverait ! »

L'autre, évidemment, éclata aussitôt en sanglots.

Elle fait partie de ces femmes qui ont constamment besoin de pleurer, pensa son patron. Pris (un peu) de pitié, il sortit un vieux kleenex qu'il savait dans la poche de sa veste, le lui donna et lui ouvrit la porte.

La Gouix pénétra dans l'Inspection aussi effondrée que si elle enterrait un enfant.

« J'en peux plus, dit-elle en secouant la tête. J'en peux plus...

– Oui, bon, n'en faites pas trop non plus, répondit Philippe, qui lui emboîtait le pas. C'est pas Sarajevo. »

Il sentit qu'on l'observait et releva la tête.

L'inspectrice générale, le directeur des Affaires budgétaires et financières et deux autres personnes attendaient, à deux mètres de là, devant la salle de conférences.

Rigaud fit comme si de rien n'était (il y a longtemps qu'il était devenu maître en la matière). Quant à sa secrétaire, elle n'essaya même pas de donner le change. La mine défaite, elle souffla dans son mouchoir en faisant à peu près le bruit d'un éléphanteau s'entraînant à barrir, regarda ce qu'elle y avait déposé, et se moucha à nouveau.

La réunion pouvait commencer.

8

Il faisait bien meilleur dans l'immeuble qu'à l'extérieur. On éprouvait au contact de cette fraîcheur la même satisfaction qu'à boire un verre d'eau froide quand on a très soif.

Le couloir était sombre et biscornu. Les poutres, belles, foncées, d'origine, juraient avec d'affreux carreaux de céramique orange, au sol. À droite, au milieu des boîtes aux lettres disposées anarchiquement sur le mur, étaient affichés les noms des occupants de l'immeuble. Marie-Ange fit glisser son index sur cette liste, jusqu'à l'avant-dernier, Fontana, inscrit au stylo-bille bleu. Pas de prénom, pas d'initiales, juste « Fontana ». Au bout de la ligne, la même écriture ronde, féminine, précisait « 4ᵉ G ».

Elle monta les quatre étages comme en terre inconnue, sur ses gardes mais curieuse. Au premier, une merveilleuse odeur de pain grillé. Au deuxième, des applaudissements de jeu télévisé. Elle réalisa qu'elle ne regardait jamais la télé le matin et, d'une pensée l'autre, se demanda ce qu'elle serait en train de faire si elle n'était pas partie à la recherche de Jany Fontana. Elle consulta sa montre : 8 h 32. À cette heure-là, en général, Philippe venait de partir pour le ministère. Elle finissait de boire son thé en regardant les sœurs du couvent de Sainte-Marcelline depuis la fenêtre du salon...

Au quatrième, deux portes se faisaient face. Celle de gauche, entrebâillée, s'ouvrit en grand à son approche.

« Je me disais bien que j'entendais quelqu'un. »

Un garçon apparut dans l'embrasure. 25 ans, peut-être, et pas du tout le look rue de Bellechasse. Une peau très pâle, de grands yeux noirs expressifs. Il ne portait qu'un pantalon, un jean lâche à la taille qui dévoilait la bordure d'un sous-vêtement turquoise. Son torse nu était maigre, plutôt musclé et parcouru de tatouages épars dont plusieurs multicolores.

« Fais pas attention au bordel, dit-il en se décalant pour la laisser passer. J'ai pas eu le temps de ranger. »

Marie-Ange remarqua moins ses tatouages que son regard, qu'elle trouva avenant, et, totalement en confiance, entra dans l'appartement (elle se sentait facilement en confiance, Philippe disait qu'elle aurait pris le thé avec Ben Laden).

Le garçon la détailla des pieds à la tête et sembla pris d'un doute.

« Tu viens pour le ukulélé ?

– Non, pour Jany Fontana.

– Ah, d'accord.

– Elle n'est pas là ? »

Un tintement de minuterie sembla lui répondre dans une autre pièce. Le garçon lança « Je reviens ! » et disparut aussitôt. Suivit un silence rapidement meublé par des gazouillis de perruches.

Marie-Ange regarda autour d'elle. Elle adorait découvrir les intérieurs. Elle avait toujours aimé ça. Enfant, elle se hissait sur la pointe des pieds pour pouvoir observer par les fenêtres des beaux appartements bordant la place Hoche à Versailles... Chez Jany Fontana, il y avait de l'air, de la lumière et des couleurs. C'était bas de plafond, ça sentait la quiche chaude, la cigarette froide et ça fourmillait d'objets amusants, charmants. Une longue chenille en peluche sur le canapé, un petit laurier-rose décoré d'une guirlande électrique, un grand drapeau portugais au mur. Un rideau de perles ambre faisait office de porte avec la pièce voisine et, devant les fenêtres grandes ouvertes, des voiles transparents, rouge et jaune, ondulaient doucement. Rien à voir avec l'atelier de sculpteur qu'elle avait imaginé...

« Je peux te proposer un verre d'eau ? »

Le garçon se tenait à l'entrée de la pièce. Il essuyait ses mains dans un torchon de grand-mère.

«Volontiers.

– Avec une rondelle de citron?»

Marie-Ange fit oui de la tête et, avant qu'il ne reparte, l'interpella:

«Vous ne m'avez pas dit, pour Jany.

– Ah, oui. Elle est au Portugal. Ça fait un moment déjà, t'es pas au courant?

– Euh, non.»

Il s'approcha, ce qui permit à Marie-Ange de constater que ses yeux étaient plus clairs qu'elle n'imaginait.

«Tu ne la suis pas sur Facebook?

– Facebook, répéta-t-elle, comme si elle essayait de se rappeler ce que c'était. Je n'ai pas Facebook.

– Ah, OK. Elle est à Madère.

– C'est très beau, Madère.

– C'est ce qu'elle dit.

– Et elle y restera toute la semaine?

– Bah, oui. Elle vit là-bas, si tu veux.»

Il s'arrêta, se gratta le bras.

«Excuse-moi, mais j'ai pas trop compris qui tu es.»

Marie-Ange s'éclaircit la voix.

«Eh bien, voilà. En fait, je ne connais pas Jany. Hier soir, mon mari a reçu un mess...»

Du mouvement sur sa droite la fit s'interrompre. Une fille déboula dans l'appartement, un sac Carrefour Market au bout d'un bras, un lot de rouleaux de Sopalin sous l'autre. Une petite brune, mince, en nage, vêtue d'un tee-shirt mauve sans manches laissant largement entrevoir son soutien-gorge. Elle alla déposer ses courses dans la cuisine et revint aussitôt dans le salon en soufflant sur une mèche qui encombrait son front.

« Je suis Célia, annonça-t-elle en tendant une main mouillée à Marie-Ange. C'est moi que vous avez eue au téléphone.

– Je n'ai parlé à personne au téléphone.

– Elle est venue pour voir Jany, précisa le garçon.

– Exactement.

– Je pensais que vous veniez pour le ukulélé, dit la fille.

– Moi aussi, mais non.

– Pour quel ukulélé ? demanda Marie-Ange.

– Il a mis une annonce pour vendre son ukulélé. »

Au même moment, un chat entra dans la pièce. Un superbe bengal qui s'arrêta pour observer les trois humains puis, comme s'il avait parfaitement compris ce qui se passait, continua son chemin.

« Bon, alors, enchaîna le garçon, on va tout reprendre depuis le début. Moi, c'est Jonathan, mais tout le monde m'appelle Capuche.

– Capuche, répéta Marie-Ange.

– Je suis le frère de Jany. Et Célia, c'est...

– Une voisine, compléta la fille. Je vis au-dessus. Au dernier étage. Et je viens ici quand j'ai besoin d'utiliser le four.

– Ou le frigo.

– Ou le wifi.

– D'accord, dit Marie-Ange en comprenant que son tour était venu de se présenter. Eh bien, moi, c'est Marie-Ange. Marie-Ange Rigaud. »

Et pour ne pas rester sur l'impression de ce patronyme qu'elle détestait, elle s'empressa d'ajouter :

« Je pensais que mon mari avait une aventure avec Jany Fontana, mais je crois que je me suis trompée. »

9

Difficile de dire s'il dormait quand son téléphone sonna. Il était étendu sur son lit, c'était une certitude, mais avait-il réussi à trouver le sommeil ? Il évoluait probablement dans un état de semi-conscience où ses pensées n'étaient pas complètement devenues des rêves. En tout cas, il ne se sentait pas du tout reposé.

Il était 11 h 13 et Pauline l'appelait.

Il lui expliqua qu'il n'arrêtait pas de penser au message de Rigaud, qu'il avait renoncé à aller bosser dans cet état, qu'il était rentré chez lui juste après Le Transit et qu'il s'était allongé illico dans l'espoir de récupérer un peu avant son rendez-vous du lendemain à la DRH.

Elle lui demanda s'il avait reçu un nouveau message, il répondit non, alors elle en vint au fait :

« Il ne serait pas complètement hétéro.

– Qui ça ?

– Rigaud. »

Julien ouvrit grand les yeux et s'assit dans son lit.

« Qu'est-ce qui te fait dire ça ?

– Une copine qui bosse à l'AFP. Elle m'a appelé tout à l'heure pour un truc qui n'a rien à voir et mon petit doigt m'a dit qu'elle connaissait Rigaud. Elle passe sa vie dans les couloirs des ministères, elle sait tout sur tout le monde. Elle m'a appris qu'il avait failli devenir ministre des Affaires étrangères en 1997, t'étais au courant ?

– Oui, enfin, il était sur la liste. Et pas le mieux placé.

– Je vois. Bref, elle m'a aussi raconté qu'avant ça, quand il était numéro deux à Nicosie, il a eu une histoire avec un type. Là-bas, à Chypre. Ça s'est su, sa femme a menacé de divorcer, l'ambassadeur a gueulé. Ça a fait un tel foin qu'il aurait arrêté de déconner. D'après elle, il serait bisexuel mais se contente de maîtresses parce que ça fait quand même moins désordre. Tu savais qu'il était sorti avec Martine Dussert, de France 2 ?

– Non. On m'a parlé d'une nana au ministère du Logement. Et aussi d'une attachée de presse.

– Le mec saute sur tout ce qui bouge... J'aimerais pas être à la place de sa femme.

– Marie-Ange.

– Tu la connais ?

– Je l'ai croisée une ou deux fois. Très gentille, très...

– Très ?

– Un peu nunuche.

– Ah, fit Pauline qui s'attendait à quelque chose de plus croustillant. En tout cas, ça expliquerait sa réponse.

– Hein ?

– La réponse de Rigaud. *Avec plaisir.* Ça l'expliquerait.

– Ah, oui.

– Il doit penser que tu le kiffes depuis le début, depuis Prague, et qu'hier soir, sous l'effet de l'alcool ou d'autre chose, tu as enfin trouvé la force de lui dire. Il a découvert ton message ce matin et s'est empressé de te répondre avant que tu te mettes à regretter ton texto.

– Mais... tu crois qu'un type comme moi pourrait être séduit par un type comme lui ?

– Bien sûr ! Regarde Laurent Valet avec ce vieux machin de Bob Hurlington, le chorégraphe. Il doit y avoir quarante ans d'écart entre les deux. Qu'est-ce que je raconte, cinquante, pratiquement !

– C'est qui, Laurent Valet ?

– Un acteur de la Comédie-Française, beau comme c'est pas permis. Il fait de plus en plus de cinéma. Des comédies romantiques branchouilles. Bon, bah, il se tape Bob Hurlington, qui doit avoir 80 balais. Je les ai vus chez Anahi. Ils buvaient du vin en croisant les bras, tu sais, comme les amoureux. »

Julien se prit la tête dans la main.

« C'est horrible.

– Pourquoi ? S'ils sont *in love* ?

– Non, je parle de ma situation. Je suis encore plus mal maintenant qu'il a répondu. Je ne peux plus faire semblant de rien, il a enclenché un truc. »

Pauline devait être du même avis puisqu'elle ne trouva rien à répondre. Le jingle de la SNCF sembla profiter de son silence pour s'immiscer dans la conversation.

« Tu vas où ? demanda Julien.

– À la préfecture de la Mayenne. J'en ai autant envie que de me faire enlever un sein.

– On se voit toujours mercredi ?

– Oui, je rentre ce soir… Faut que je te laisse, y a une journaliste qui me salue… Oh, la vache, elle a pris, elle a 200 ans.

– Qu'est-ce que je fais, pour Rigaud ?

– Rien. Reste au lit. Tu te reposes et demain matin tu vas à ton rendez-vous parfaitement détendu. Tu verras les choses sous un autre angle une fois que tu sauras que tu pars à New York. »

10

« Conformément à la vocation du Comité inter-ministériel des audits, l'objectif sera, non d'évaluer les politiques publiques conduites dans le cadre du programme, mais d'apprécier la conformité de celui-ci aux principes de la LOLF... »

La climatisation était cassée dans la salle de conférences, il devait y faire 35 °C. La réunion avait donc lieu dans le bureau de l'Inspectrice générale, autour d'une longue table en verre placée sous une tapisserie monumentale qu'on aurait dit soviétique, une œuvre d'une laideur repoussante figurant une monstrueuse colombe grise qui semblait en ciment (donc bien incapable de voler).

Y participaient l'inspectrice générale, bientôt ambassadrice dans un pays d'Amérique latine et, à ce titre, plus préoccupée par son niveau d'espagnol (calamiteux) que par cet audit qui se déroulerait après son départ ; le directeur des Affaires budgétaires et financières, un homme pas du tout à la hauteur de sa fonction et qui avait les yeux gonflés des gens gavés de benzodiazépines ; son assistante, une femme qui ne souriait jamais (ses collègues la surnommaient « Jésus que ma joie demeure ») ; un conseiller de la direction des Affaires juridiques, en plein divorce et à qui il restait un fond de migraine de la cuite historique qu'il avait prise dans la nuit de samedi à dimanche ; une conseillère de la DABF, terrorisée à l'idée de prendre la parole pendant cette réunion et qui, comme pour se donner une chance d'y échapper, prenait des tonnes de notes en fronçant méchamment les sourcils (Florence a vraiment l'air absorbée par sa prise de notes, ne la dérangeons pas) ; et Alain Testa.

Testa (personne n'utilisait jamais son prénom) était un petit être sale et renfrogné avec une tête de musaraigne et des mains de souris. Il portait un pull quelle que soit la saison, un pull gris, bordeaux ou les deux, dont les épaules étaient couvertes de fines croûtes transparentes provoquées par une dermite séborrhéique dont il ne cherchait pas particulièrement à se débarrasser.

Il avait lui aussi un problème d'odeur corporelle, mais différent de celui de Mlle Gouix. La sienne variait sensiblement au cours de la journée. On attaquait sur une note classique de renfermé (dortoir de classe de neige) pour évoluer vers quelque chose de plus animal (bouc par temps de pluie) et finir en beauté, à partir de 16 heures, sur un bouquet de senteurs généralement en rapport avec la pourriture (mulot décédé dans un coin de cave, tennis d'ado portée sans chaussette en été, cocotte-minute contenant du chou-fleur ouverte au bout de plusieurs semaines).

Ceux qui croisaient son chemin dans le couloir se mettaient subitement à consulter leur téléphone ou faisaient simplement semblant de ne pas le voir (j'avance sans quitter des yeux un point fixe devant moi, je suis concentré car j'ai des responsabilités). Dans tous les cas, lorsqu'ils passaient près de lui, un mouvement spontané les faisait se déporter le plus possible vers le côté opposé, au point, souvent, de frôler le mur.

Au début des années 2000, fraîchement arrivé au ministère, il s'était fait prendre alors qu'il tentait de dissimuler une caméra espion sous un dérouleur de PQ dans les toilettes des femmes à l'entresol de la rue La Pérouse. Une psychologue ayant expliqué à la commission disciplinaire qu'enfant sa mère le faisait dormir par terre et le réveillait en lui donnant des coups de pied, il avait écopé d'une sanction symbolique. Et, depuis, il passait d'un service d'archives à un autre, avec toujours la même mission : coter des documents, les classer en fonction de cette cote, attendre un an ou deux et les envoyer à la destruction.

On ne lui connaissait qu'une relation : une ancienne collègue avec qui il déjeunait une fois par mois au réfectoire du ministère. Une Antillaise aux cheveux blancs qui, depuis son AVC en 2012, vivait dans un fauteuil, la tête bloquée sur le côté comme la mère de Juan Carlos. Une grenouille de bénitier, comme lui, qu'il retrouvait à la messe le dimanche. Mais, exception faite de ses rencontres avec cette femme (que l'on disait méchante), Testa finissait en général sa journée sans avoir parlé à personne.

Sa présence autour de la table en verre n'était pas naturelle. Il n'était jamais convié aux réunions, tout le monde l'évitait – même les mendiants, dans la rue, ne lui demandaient pas d'argent. Seulement, il fallait quelqu'un de l'Inspection pour prendre des notes et aucune des trois secrétaires du service n'était disponible. Sabrine Gouix était retenue par l'histoire du téléphone de Philippe et Anne-Lise Kayser était en stage à Nantes. Quant à la petite dernière, une jeune contractuelle originaire de Bergerac, environ dix jours après son arrivée au ministère, elle était sortie de son bureau pour aller déjeuner en disant « Je déteste ce travail » et n'avait plus donné signe de vie...

« Pour finir, je n'insisterai jamais assez sur ce point, conclut Philippe. L'Inspection ne dispose que d'un pouvoir de RE-COM-MAN-DA-TION (il martela bien ce mot, comme il avait prévu). Les décisions appartiennent à juste titre aux autorités et aux organes de gestion compétents.»

Soulagé d'en avoir fini avec ce speech qui lui avait demandé un effort de concentration prodigieux, il eut son petit pincement de lèvres distinctif et donna la parole au directeur des Affaires budgétaires et financières. Il l'observa un moment en se disant que sa voix de fausset ne correspondait pas du tout à son physique puis, déprimé par la vision de cet homme déprimant, il se mit à penser à son téléphone.

Évidemment, sa secrétaire n'était pas réapparue comme il le lui avait demandé. Il était curieux de savoir ce qu'elle faisait, là, à cet instant précis. Elle devait être en train de fumer dans la cour avec les chauffeurs, elle passait sa vie là-bas. Ou bien elle regardait une vidéo sur son ordinateur – il l'avait surprise, une fois, à s'attendrir devant un petit film montrant un chimpanzé promenant un cochon nain au bout d'une laisse... Une feignasse pareille, il n'avait jamais vu ça...

Il n'avait jamais eu de chance avec ses secrétaires. À Prague, sa première assistante avait une technique imparable pour éviter d'être dérangée par le téléphone : elle ne le raccrochait pas complètement. Elle posait le combiné sur son socle mais le décalait légèrement sur le côté. De cette façon, il semblait raccroché mais ne sonnait pas puisque la ligne était prise, et elle pouvait tranquillement se faire les ongles. Philippe avait découvert le pot aux roses après que le secrétariat de la vice-présidence tchèque lui avait indiqué avoir appelé dix-sept fois de suite dans une matinée et avoir à chaque fois obtenu la tonalité occupé. Sa secrétaire avait reconnu les faits (« ce téléphone qui sonne tout le temps, ça me donne mal à la tête ») et on l'avait renvoyée à Paris illico... Sabrine Gouix, elle, ne pouvait pas être renvoyée à Paris, elle y était déjà.

Le regard de Philippe se posa par hasard sur la conseillère hystérique qui prenait tout en note. Mais pourquoi le faisait-elle puisqu'il était entendu que l'Inspection se chargerait du compte-rendu ? C'était l'autre, là, qui devait s'en charger, l'archiviste qui ressemblait à un rongeur. Où était-il ?

Rigaud se pencha légèrement en avant et chercha Testa du regard... Il dormait ! Il avait croisé ses bras sur la table, y avait posé la tête et dormait ! Les autres ne semblaient pas l'avoir remarqué – sur sa gauche, la folle qui prenait des notes avait le nez collé sur ses feuilles et, de l'autre côté, le conseiller des Affaires juridiques semblait fournir un effort surhumain pour ne pas lui-même glisser dans le sommeil.

Philippe n'y tint plus.

«Je te demande pardon, Michel», dit-il en faisant signe au directeur des Affaires budgétaires d'arrêter. Puis il interpella le voisin de droite du dormeur : «Écoutez, c'est insupportable, réveillez-le!»

Le conseiller regarda Testa comme s'il était une crotte de chien et se pencha doucement vers lui tandis qu'à l'autre bout de la table Rigaud éructait :

«Quelle bande de bras cassés, quand même!»

L'autre posa une main prudente sur l'épaule de l'archiviste.

«Monsieur?»

Puis il redressa la tête, remit ses lunettes en place du bout de l'index et déclara calmement :

«Je crois qu'il est décédé.

– Qu'est-ce que c'est que cette histoire? rétorqua Philippe en se levant de sa chaise. Secouez-le!»

Le conseiller s'exécuta.

Un hurlement de cauchemar se fit entendre, c'était la folle qui venait de passer une heure à prendre des notes. Elle quitta brusquement sa chaise en la faisant tomber derrière elle et se rua hors de la pièce en hurlant «C'est horrible! C'est horrible!» comme si elle s'échappait de la tour infernale.

«Qu'est-ce que c'est que cette histoire? répéta Philippe en s'approchant de Testa, qui n'avait pas bougé d'un iota. On ne meurt pas comme ça!»

Il lui toucha le dos.

« Bah, alors, mon vieux... »

Le corps du pauvre garçon offrait une résistance qui ne laissait aucun doute, inutile d'insister.

Il y eut un faux silence pendant lequel on entendit la conseillère hystérique ameuter tout le service dans le couloir, puis l'assistante du directeur des Affaires budgétaires se dressa sans rien dire. Elle se tint debout une demi-seconde avant de tomber sur le côté, évanouie.

11

Depuis l'instant où elle avait mis les pieds dans l'appartement, Marie-Ange fascinait Capuche. Cette politesse, cette grande délicatesse, ce phrasé – presque un accent – où la distinction perçait autant que la réserve. Il avait compris qu'ils lui étaient naturels, qu'elle n'était pas une comédienne répétant un rôle de bourgeoise un peu naïve, et avait alors éprouvé une envie qui l'avait surpris lui-même, une envie très agréable, comme une pente douce, facile : celle de la toucher. Poser sa main sur ces étoffes aux couleurs d'île grecque, sentir sous ses doigts ces cheveux qui semblaient des fils d'or, cette peau au grain parfaitement lisse. Elle était si douce, et le monde si dur.

L'objet de sa visite l'amusait beaucoup. Des histoires de tromperie, de tromperie supposée, de téléphone tombé entre les mauvaises mains, il en connaissait des tas, mais celle-ci lui plaisait particulièrement, à cause du sexto en question. *Assieds-toi sur ma bouche.* Pouvait-on être à la fois plus cru et plus drôle hors contexte?

Un SMS qui ne pouvait pas avoir été envoyé par sa sœur. Il était catégorique. «Zéro chance.» Jany, au Portugal depuis le mois de mars, ne serait pas en France trois jours plus tard. L'époux de Marie-Ange ne pouvait donc pas prévoir de la rencontrer jeudi.

Et puis le cœur de cette jeune femme avait été volé par quelqu'un d'autre que Philippe Rigaud. Un homme en tout point son contraire. Un homme-rêve, un homme-astre, un homme qui était peut-être Dieu (c'est du moins ce qui se disait dans ses terres natales). Cristiano Ronaldo. Le footballeur lui inspirait une passion telle qu'elle en avait changé de vie : elle qui n'avait jamais eu de caméra entre les mains s'était installée à Funchal, sur l'île de Madère, dans le but de réaliser un documentaire sur l'enfance de son idole. Filmer les lieux où il avait grandi, interviewer ses voisins, ses professeurs, retracer son parcours jusqu'aux marches de la gloire...

De toute façon, le numéro de téléphone de «J. Fontana» n'était pas celui de Jany, ce qui réglait le problème.

«Je peux revoir le truc?

— Le truc?

— Le message.

– Bien sûr.»

Elle lui tendit le portable de son mari.

Capuche relut l'échange de SMS et réfléchit. Marie-Ange en profita pour aller s'asseoir sur le canapé, où le chat, qui s'appelait Ozu, la rejoignit très vite. Célia, quant à elle, était rentrée dans sa chambre, sous les combles, avec sa quiche au thon dont l'odeur embaumait encore l'appartement.

«Bon, déjà, dit Capuche, grosse erreur de méthode. T'as juste cherché dans les Pages jaunes ?

– Oui, dans les Pages jaunes sur Internet.

– C'est pas bon, ça. Y a plus personne dans les Pages jaunes… Et puis, ton message…

– *Avec plaisir* ?

– Oui. Ça va pas. On n'écrit pas ça dans un tchat sexuel. Tu pensais vraiment qu'elle allait te répondre ?»

Marie-Ange attrapa Ozu, qui faisait ses griffes sur ses cuisses, et le posa délicatement à côté d'elle.

«Non, je voulais juste vérifier si la femme qui sortait de l'immeuble était bien Jany Fontana. Comme elle avait son téléphone à la main, je me suis dit que, si c'était elle, il sonnerait et elle le regarderait. C'est d'ailleurs ce qui s'est passé.

– Oui, sauf que c'était pas du tout Jany Fontana. Et que, de toute façon, c'est pas Jany Fontana que tu recherches.

– Je sais, je le réalise maintenant, j'avais très peu de chances de tomber sur la bonne personne. »

Capuche vint la rejoindre sur le canapé, amenant avec lui une bouffée de transpiration si forte qu'elle en cligna des yeux.

« Bon, à mon avis, ta Fontana se doute que ce n'est pas ton mari qui lui a répondu. Mais on va quand même essayer de la faire sortir du bois. »

Il se tut et, pendant quelques secondes, on n'entendit plus que les ronronnements d'Ozu, qui avait repris sa place sur les cuisses de Marie-Ange.

« C'est le fameux ukulélé ? »

Elle désignait une petite guitare posée contre la cheminée à l'autre bout de la pièce.

« Yes...

– C'est joli, comme instrument.

– Ouais, mais franchement c'est relou. Les gens disent que ça les intéresse, tu leur donnes toutes les indications pour venir et ils viennent pas. T'es content, tu crois que tu l'as vendu, et en fait non.

– Vous en demandez combien ?

– 20 euros. Mais je serai heureux si on m'en donne 15. »

Marie-Ange sourit comme si c'était une bonne nouvelle et se mit à caresser le chat en regardant droit devant elle.

« Je ne vous dérange pas ? »

Capuche releva la tête.

« Pourquoi tu demandes ça ?

– Vous ne devez pas travailler ?

– Ah, euh, non », dit-il en se replongeant dans les messages de Philippe.

Elle hésita puis reprit :

« Qu'est-ce qui vous occupe, si ce n'est pas indiscret ?

– En ce moment, j'aide un pote qui vend des matelas au marché de Sannois. »

Il n'avait aucune envie d'en parler, ou il avait besoin de silence pour se concentrer. Marie-Ange se tut et l'observa écrire un SMS qui semblait le rendre particulièrement fier.

« Voilà », fit-il en lui rendant l'appareil.

> d'abord, ma bouche.
> avec ma langue je lèche tes lèvres.
> et puis tes joues et tes paupières,
> qui se ferment sur notre secret.

Elle prit le temps de lire puis déglutit.

« C'est très... »

Les mots lui manquaient.

« Je cherchais un truc sexe mais pas porno, expliqua Capuche. Sensuel, en fait.

– C'est réussi... Vous êtes poète.

– Merci. J'ai fait un peu de slam, effectivement. »

Le concept de slam était aussi étranger à Marie-Ange que la filmographie de Jacques Demy à un supporter du Paris Saint-Germain, mais elle ne posa pas de question de peur de passer pour une cruche.

Capuche l'observa en souriant. En un flash, il se vit poser la main sur sa cuisse et se pencher doucement pour l'embrasser dans le cou...

«On envoie? demanda-t-elle en levant les yeux vers lui.

– Ah, oui.»

Marie-Ange, l'air sérieux de quelqu'un s'apprêtant à signer un document officiel, appuya sur «envoi» puis elle releva la tête.

«À mon avis, elle va répondre.

– Je crois aussi.»

12

Il ouvre les yeux, décide d'aller courir.
Oui, il va aller courir sur l'île aux Cygnes.
À son retour, il prendra une douche, s'habillera vite fait et filera au ministère terminer sa note sur l'insécurité dans les camps de réfugiés du Soudan du Sud. Il saute du lit, enfile un short, un tee-shirt et ses belles Nike Air Max noires en fredonnant *I Love it*, d'Icona Pop.

Parler à Pauline lui a fait un bien fou. Pour la première fois, il considère ce qui lui arrive autrement que comme un drame horrible. Et si la réponse de Philippe était à prendre au second degré ? Et s'il avait compris qu'*Assieds-toi sur ma bouche* lui avait été envoyé par erreur et qu'il avait pris le parti d'en rire ? *Avec plaisir*, ha, ha ! Un message, comme un clin d'œil...

Il doit en parler à Pauline, lui demander son avis, il l'appellera en revenant de l'île aux Cygnes...

I don't care, I love it, I don't care...

Il noue ses lacets, se dresse sur ses jambes, s'échauffe un peu sur place...

Ding!

Son téléphone lui signale un message.

Pauline?

> d'abord, ma bouche.
> avec ma langue je lèche tes lèvres.
> et puis tes joues et tes paupières,
> qui se ferment sur notre secret.

Non, c'est Rigaud.

Rigaud très inspiré.

Rigaud *Cinquante Nuances de gris*.

Avec le recul, *Avec plaisir* a dû lui paraître trop abscons, trop court, alors il a mis le paquet.

Le contresens n'est plus possible, le doute plus permis...

Avec *Assieds-toi sur ma bouche*, Julien a allumé un feu qui ne s'éteindra pas.

Il retire ses jolies tennis sans s'aider de ses mains et retourne se coucher, en short.

13

Vers 16 heures, ce jour-là, on frôla le record de chaleur parisien du 5 juillet 1959 : 35,7 °C.

Chez Jany Fontana, le chat Ozu avait trouvé un peu de fraîcheur dans l'une de ses planques, le tiroir d'une commode qui ne fermait pas complètement, dans la chambre de sa maîtresse. Dans le salon, le laurier dépérissait à vue d'œil et la moitié de canapé qui se trouvait dans la trajectoire du soleil semblait sur le point de s'embraser.

Capuche et Marie-Ange, allongés sur le tapis, contemplaient le plafond. Entre eux, une bassine d'eau froide dans laquelle ils trempaient un gant qu'ils appliquaient à tour de rôle sur leur cou, leur front. Ils n'avaient aucune idée de l'heure ni du temps qu'ils avaient passé dans cette position, portés par un flot de paroles qu'interrompaient les seules pauses cigarettes de Capuche (qui n'avait le droit de fumer qu'à la fenêtre de la cuisine).

Il avait raconté quelques épisodes de son enfance passée dans le Val-d'Oise (ou, plutôt, de *leur* enfance puisqu'il avait grandi avec Jany), notamment la mort de son chien Pluto, renversé sous ses yeux par un chauffard qui ne s'était pas arrêté. Marie-Ange, touchée, le fut encore plus en comprenant combien ce garçon était proche du début de sa vie. Ses souvenirs du lycée étaient encore vivaces, il parlait des cours de philosophie, de l'épreuve sportive au baccalauréat. Il était à peine entré dans l'âge d'adulte alors que sa jeunesse à elle lui semblait si lointaine.

Elle crut comprendre qu'il n'avait pas connu son père et qu'il avait passé quelques années à la Réunion, où il s'était essayé à la peinture avant de devenir chauffeur-livreur pour une marque de bière. Elle n'en savait pas beaucoup plus, mais quelle importance ? Capuche avait beau avoir le mot *Fury* tatoué à la place du cœur et un fil barbelé dessiné autour du biceps, il était d'une délicatesse, d'une prévenance infinies – n'était-ce pas suffisant ?

Ses souvenirs à elle avaient plus de lustre. Il y était question des chocolats chauds servis chez Cova, à Milan, des bougainvilliers jaunes de Chypre et de la gentillesse du peuple tchèque. Dans son monde, on faisait de la danse classique jusqu'à l'adolescence, on se mariait dans des Relais & Châteaux en Sologne et on fêtait le 14 Juillet dans les ambassades. Rien à voir avec le marché de Sannois ou des histoires de chien renversé sur une départementale.

Évidemment, J. Fontana n'avait pas répondu à leur message. Le téléphone de Philippe avait pourtant sonné plusieurs fois. Les numéros appelants commençaient tous par 01 43 17, que Marie-Ange avait reconnus comme émanant du Quai d'Orsay. Son mari devait s'appeler du ministère pour tenter de localiser son portable. Lassés d'entendre cette sonnerie qui ressemblait à une musique de salon de massage thaï, ils avaient glissé l'appareil sous un coussin du canapé et n'y avaient plus pensé.

« Donc, il a des maîtresses.

– Qui ça ?

– Ton mari.

– Oh là, oui.

– Il t'en parle ?

– Non ! Je le sais par des petites choses. Une facturette de Monceau Fleurs. Une trace de maquillage sur un col de chemise. Je le sais parce que les autres en parlent. C'est d'ailleurs pour ça que je ne vais plus dans les soirées... Et puis, il n'est pas tout à fait le même quand il a vu sa maîtresse. Il est plus détendu. Chez un homme comme lui, ça fait une grande différence.

– Franchement, je comprends pas que tu restes avec lui.

– Je sais que, de l'extérieur, ça peut choquer mais, comment dire... je viens d'une famille où on ne parle pas de ce genre de choses. Le faire, ce serait les rendre plus...»

Elle s'arrêta, se mit à tripoter la perle de son collier et continua :

«Enfin, ce n'est pas tout à fait vrai. On en a parlé, une fois. On a fait plus qu'en parler, d'ailleurs, on a failli se taper dessus. Quand j'y pense, c'est la seule fois que je me suis adressé à lui de cette façon...»

Capuche se tourna vers elle comme pour mieux l'écouter.

«C'était en 1992, continua-t-elle. On vivait à Nicosie, la capitale chypriote. Philippe avait un bon poste à l'ambassade, il était deuxième conseiller. Il travaillait beaucoup, à cause de la partition. Vous savez, les Grecs d'un côté, les Turcs de l'autre. Il y avait une grande nervosité dans l'air, on sentait que tout pouvait s'enflammer à tout moment et, en même temps, c'était très calme, je n'ai jamais connu ça ailleurs... On habitait dans le quartier d'Engomi, là où vivaient tous les expatriés. Une villa moderne, toute blanche, traversée par des parfums de jasmin et d'oranger. Je n'ai pas gardé un très bon souvenir du pays ni même de la ville, mais je repense souvent à cette maison avec nostalgie, à ses murs blancs toujours frais... Bref, nous vivions là-bas avec notre fille et du personnel de maison : une nounou, un chauffeur, un jardinier, une jeune fille pour le ménage... Et, un beau jour, Philippe m'annonce qu'il a recruté quelqu'un pour nettoyer la piscine. Un jeune Indonésien, Puput.»

Capuche s'esclaffa.

« Le nom qui tue !

– Oui, c'est vrai, au début, c'est amusant... Donc, Philippe engage ce garçon. C'était surprenant, parce que le jardinier s'occupait déjà de la piscine qui ne requérait pas beaucoup de soin, on ne s'y baignait jamais. Et puis Puput n'avait pas la tête de l'emploi. Tout petit, tout menu, très efféminé. Il portait des bagues et j'avais remarqué qu'il mettait du fond de teint pour cacher les ombres sous ses yeux. Vraiment pas un profil de piscinier. Bref, c'était étrange mais c'était un détail, une chose parmi d'autres, je n'y attachais pas beaucoup d'importance. J'étais un peu gourde, il faut dire. Moi qui suis encore naïve à 55 ans, vous imaginez à l'époque. Puput passait beaucoup de temps chez nous, je le voyais souvent (et jamais en train de nettoyer la piscine), et pourtant je n'en tirais aucune conclusion. Enfin, jusqu'à ce fameux soir. Ce fameux 14 août. La date est facile à retenir, c'est la veille de mon anniversaire. Nous étions invités à dîner chez le chef de la mission économique. Oh, rien de formel, ces gens-là étaient nos amis, mais, bon, il n'était pas non plus question d'y aller en baskets. Je me suis préparée, me suis installée dans la voiture et j'ai attendu Philippe, qui ne venait pas. Il n'y avait pas de téléphone portable à l'époque. Il faisait une chaleur accablante, je n'avais pas envie de sortir de la voiture, j'ai donc demandé au chauffeur d'aller voir ce que mon mari fabriquait. Ça lui a pris moins de deux minutes et il est revenu en disant que monsieur se trouvait dans son bureau, où il aidait Puput à remplir sa demande de renouvellement de visa (ses histoires de visa étaient toujours très compliquées). Philippe faisait savoir qu'il en avait encore pour une vingtaine de minutes et que le chauffeur pouvait me déposer au dîner avant de revenir le chercher. Il était souvent retenu par toutes sortes de problèmes, je n'y ai vu que du feu et le chauffeur m'a donc amenée chez nos amis. Là-bas, j'ai expliqué que Philippe aurait un peu de retard, on m'a servi à boire, aucun problème. Une demi-heure plus tard (nous n'étions pas encore passés à table), Philippe est arrivé et j'ai tout de suite vu qu'il n'était pas dans son état normal. Qu'il était un peu de travers, comme disait ma grand-mère. Tout rouge, comme s'il avait couru depuis la maison. Et surtout, il avait un foulard autour du cou. Un de mes foulards ! Un carré en soie bleu et blanc. C'était ridicule, d'autant qu'il devait faire plus de 30 °C. Je l'ai interrogé du regard et je me souviens de sa réponse : "Oh, pour une fois !" Ce qui ne veut rien dire, quand on y pense. On est passés à table, la conversation était soutenue, le vin bon... peut-être trop. Vers la fin du repas, un peu prise de boisson, je me suis penchée vers Philippe et lui ai retiré le foulard en disant : "Enlève ce truc, c'est ridicule !" Qu'est-ce que je n'avais pas fait là ! Il s'est tourné vers moi, m'a fusillé du regard. "Marie-Ange, rends-moi immédiatement ce foulard !" Il fallait voir la haine dans son regard ! Il avait une position pas du tout naturelle, la main plaquée sur le cou, je l'ai remarqué et j'ai commencé à comprendre. Je lui ai rendu le foulard, il a tendu la main pour le prendre et, là, j'ai aperçu une marque sur son cou.

– Un suçon.

– Exactement. Je n'oublierai jamais. Deux taches lie-de-vin, l'une plus grosse que l'autre, un peu comme la Sardaigne et la Corse.

– C'était le piscinier qui lui avait fait ça ?

– Ça ne pouvait être que lui, il n'y avait qu'eux dans la villa lorsque j'en étais partie. La petite femme de ménage était rentrée chez elle. La nounou, elle, ne travaillait pas puisque notre fille était en France, avec ses grands-parents... Je vous assure que ça fait drôle. Philippe avec ce garçon, ça n'avait aucun sens. Même une fois qu'il a avoué, je n'arrivais pas à me dire que c'était arrivé.

– Parce qu'il a avoué ?

– Oh, pas tout de suite. Il a d'abord essayé de me faire gober une histoire complètement abracadabrante de bretelles qui lui auraient échappé des mains alors qu'il s'habillait. J'étais furieuse, je me sentais tellement humiliée. Ça l'a surpris parce qu'il ne m'avait jamais vue dans cet état. Il faut toujours craindre la colère des gens doux. Et, oui, il a fini par reconnaître. En essayant de me faire porter le chapeau, d'ailleurs : son travail à l'ambassade le stressait, il avait besoin de faire l'amour régulièrement et je n'étais pas assez entreprenante dans ce domaine...

– Tu es partie ?

– Comment vous le savez ?

– Je t'imagine bien partir.

– Je suis partie, oui. Trois semaines. Un peu plus, même. On a dit que j'étais allée chercher ma fille en France, ce qui était vrai en partie, sauf que je suis restée sur place plus longtemps que prévu. On est revenues à Nicosie la veille de la rentrée des classes. Et, là, plus de Puput. Plus de Puput, et Philippe adorable. Il avait mis des fleurs partout (j'adore les fleurs) et m'a demandé pardon. Il m'a expliqué qu'il avait congédié Puput le lendemain de notre dispute et que le pauvre garçon était retourné chez lui, en Indonésie. On n'en a plus jamais parlé jusqu'à ce que, cinq ou six ans plus tard, il me montre un article de journal. Nous étions revenus à Paris, à ce moment-là. Le journal en question était une gazette indonésienne que la famille de Puput lui avait envoyée. Un balcon s'était détaché d'un immeuble pendant un mariage dans je ne sais quelle province. Il y avait une dizaine de victimes, dont l'article montrait les visages. Puput en faisait partie.

– C'est horrible.

– Horrible.

– Et après ça, il s'est calmé ?

– Philippe ? Oui. Enfin, à Nicosie. Je crois qu'il a eu peur. L'histoire avait fait du bruit, l'ambassadeur l'avait même convoqué. Il s'est tenu à carreau et je dois dire que la suite de notre séjour a été idyllique. Il était prévenant, aimable... Après Chypre, nous sommes partis en Italie, il a été consul général à Milan. Il a certainement eu des maîtresses, il parlait tout le temps de la beauté des Italiennes. En 1998, il a été nommé chef du protocole, nous sommes rentrés à Paris. L'affaire Puput était loin, il n'avait plus de raison de se retenir. La ronde des maîtresses a commencé et ne s'est plus arrêtée... Oh, il prend ses précautions, plus question de se faire pincer avec une marque dans le cou. Mais je vois bien qu'il me ment quand il rentre tard à cause d'une soi-disant réunion de dernière minute alors qu'il est parfaitement détendu. Je sais bien qu'il se passe quelque chose quand sa secrétaire me dit qu'il n'est pas rentré de déjeuner à 4 heures de l'après-midi. Je sens bien tout ça, mais disons que j'ai appris à fermer les yeux... Enfin, jusqu'à hier soir.

– Mais alors, il est bi ?

– Pardon ?

– Il aime les hommes ou les femmes ?

– Les femmes. Là-dessus, je n'ai aucun doute. À Nicosie, le contexte était particulier, extrêmement tensif. Philippe était à cran, il avait vraiment besoin de se détendre. On aurait eu une chèvre à la maison, je pense qu'il aurait sauté dessus. »

14

L e soleil a tourné, la lumière n'est plus la même dans la pièce, il y fait presque sombre. La température a baissé un peu, on le devine aux bruits de la ville qui semble s'extraire d'une longue sieste. De l'eau jetée puis balayée sur un trottoir, des vibrations de basses dans une voiture passant dans la rue, les perruches du voisin reprenant leur babillage dans la cour...

Capuche fixe des yeux la rosace au plafond. Il pense à la femme étendue à ses côtés, qui a débarqué dans l'appartement quelques heures plus tôt et, sans rien savoir de lui, s'est mise à lui raconter sa vie. Il se dit que l'impression qu'elle donne est trompeuse. On voit une femme seule, délicate, on l'imagine craintive et vulnérable, mais celle-là, c'est tout le contraire. Celle-là n'a peur de rien.

Il sourit en se remémorant son nom de jeune fille. Marie-Ange Amandine Gasparde Henri Vimont de la Bouillerie. Il ne pouvait plus s'arrêter de rire quand elle le lui a dit...

Amandine ou Apolline ? Il ne sait plus. Il l'a pourtant fait répéter plusieurs fois...

Il s'éclaircit la voix.

« J'ai un doute, là. Ton deuxième prénom, c'est Amandine ou Apolline ? »

Pas de réponse.

Il tourne la tête.

Elle dort.

Lorsqu'elle ouvre les yeux, un peu plus tard, c'est lui qui s'est endormi. Elle observe longuement son visage, le duvet transparent recouvrant ses tempes, ses narines frémissant au rythme de sa respiration, ses lèvres mouillées...

Et puis ce corps qu'elle pourrait toucher si facilement, en tendant un peu la main... La dernière fois qu'elle s'est trouvée aussi près d'un torse nu qui n'était pas celui de son mari, c'est quand elle rendait visite à ses cousins à Étretat, pour les vacances, entre sa onzième et sa seizième année. Ses cousins Marc et Pierre-Emmanuel qui faisaient de la voile et qu'elle trouvait si beaux... C'est très loin, tout ça, et pourtant si précis. Il lui semble qu'avec le temps on se souvient de mieux en mieux de son passé...

La simplicité de Capuche, son naturel sont des révélations. On peut être comme ça dans la vie, ne pas constamment avoir à l'esprit l'impression qu'on fait, l'image qu'on renvoie. On peut improviser, ne pas avoir peur de se tromper, se laisser aller à rire, à éclater de rire, ne rien faire de particulier, laisser simplement le temps s'écouler...

Tout à l'heure, il lui a proposé de rester dormir. De prendre le lit de Jany tandis que lui coucherait dans le bureau de sa sœur, qui fait chambre d'appoint. « Je sais que tu vas dire non, mais... » Sur le moment, bien sûr, l'idée lui a semblé délirante. Et puis elle a réalisé qu'elle avait plus envie de passer la soirée avec ce garçon qui lui rappelle sa jeunesse et lui donne envie de parler plutôt qu'avec Philippe, qui lui fait l'effet inverse. Philippe qui, au fond, serait certainement ravi de passer une soirée sans son épouse. Lorsqu'elle partait faire les randonnées de Saint-Jacques-de-Compostelle, autrefois, ou quand elle s'est installée trois semaines chez sa mère qui s'était cassé le pied en 1998, il avait du mal à cacher sa joie...

Reste à savoir ce qu'elle va bien pouvoir lui raconter. Étrangement, elle ne s'en inquiète pas.

Mardi

15

« J'ai bien compris que tu as dormi chez Bertille, tu m'as prévenu hier soir.

– Je voulais m'assurer que tu avais enregistré ce que je t'avais dit. Comme tu avais l'air…

– *J'avais l'air*, forcément. Je te rappelle qu'un agent du ministère est décédé sous mes yeux.

– Quelle histoire affreuse.

– Affreuse.

– On sait de quoi, finalement ?

– On en saura plus ce matin. À mon avis, c'est une crise cardiaque. C'était un gars chétif, pas en bonne santé, il était jaune… »

Au même instant, chez Jany Fontana, Capuche traversa le salon sans rien sur lui, en se grattant les fesses. Depuis la cuisine où elle téléphonait, Marie-Ange l'aperçut, fit les yeux ronds et se retourna.

«Bertille se sent mieux? demanda Philippe.

– Oui. C'était juste un peu d'angoisse. Ça lui a fait du bien que je reste avec elle.

– Salue-la de ma part.

– Je le ferai.

– Tu rentres quand?

– Dans la journée, mais je ne peux pas te dire à quel moment. De toute façon, ça ne fait pas de différence pour toi, du moment que je suis là pour le dîner.

– Ne t'en fais pas pour moi, je passerai la soirée rue Saint-Sauveur. J'ai vraiment besoin de me changer les idées.

– Ah, très bien.

– Si tu as besoin de me parler dans la journée, appelle ma ligne directe au ministère. Mais, bon, ne le fais qu'en cas d'urgence, hein. Pas pour me répéter que tu as dormi chez Bertille.

– Ne t'en fais pas... Comment ça s'arrange, ton histoire de téléphone? demanda-t-elle hypocritement.

– Ça ne s'arrange pas. Mon idiote de secrétaire n'a pas fait ce que je lui ai demandé. Elle a passé la matinée d'hier à l'infirmerie à cause d'une soi-disante crise de tachycardie. Et, après, on a été pris par le décès de l'archiviste...»

Un bruit de chasse d'eau se fit entendre, rue de Rochechouart. Marie-Ange, son portable collé à l'oreille, jeta un œil dans le salon au moment où Capuche, aussi nu que précédemment, traversait la pièce dans l'autre sens.

Elle ne détourna pas le regard, cette fois, et prit même soin d'examiner ses fesses à distance. « Je l'ai forcément laissé dans le taxi, continuait Philippe, je ne vois que ça. J'appellerai G7 moi-même, qu'est-ce que tu veux ? Je le ferai ce matin en arrivant... Ouh là, je suis en retard. »

« Je suis en retard » était sa manière de dire au revoir. Au revoir, bonne journée, je t'embrasse fort, n'oublie pas que je t'aime... Trente-deux ans de mariage, il faut dire.

Marie-Ange mit fin à l'appel et se tint immobile un moment, bluffée par la facilité avec laquelle elle manipulait son mari depuis dimanche. Elle lui piquait son portable, enquêtait dans son dos, découchait en s'inventant une excuse impliquant sa meilleure amie qui se remettait d'un cancer, tout ça sans éprouver la moindre culpabilité – peut-être même avec une pointe de jubilation. Elle, la sagesse personnifiée. Elle qui repassait ses jeans, qui disait bonjour au conducteur en montant dans le bus, elle qui employait le mot « pareillement »... Quelque chose était *vraiment* en train de changer.

Elle sortit de la cuisine, s'approcha timidement de la pièce où se trouvait Capuche et hésita quelques secondes près de la porte entrouverte avant qu'une odeur de cigarette lui indique qu'il ne s'était pas rendormi.

Tout en grattant contre le chambranle, elle glissa une tête à l'intérieur. Les rideaux tirés laissaient passer un puissant rai de lumière qui coupait la pièce en deux. Il faisait moite et l'odeur (fauve, sueur et cigarette) donnait pratiquement le tournis. Capuche, allongé sur le ventre dans un canapé-lit ouvert, jouait avec son téléphone. Un drap lui recouvrait les fesses. Ozu s'était lové contre ses jambes, à côté du carton d'emballage d'un aspirateur de la marque Proline. Par terre, au pied du canapé, c'était Waterloo : cigarette mal écrasée dans une petite assiette remplie de mégots, tube de lait Nestlé enroulé sur lui-même, paquet de chips éventré...

« Elle n'a pas répondu ? » demanda-t-il sans bouger.

Il voulait parler de J. Fontana.

« Non, dit Marie-Ange. Enfin, la dernière fois que j'ai regardé, elle n'avait pas répondu.

– Ça sent pas bon. »

Elle pensa qu'il parlait de la puanteur ambiante jusqu'à ce qu'il précise :

« Va falloir changer de stratégie.

– Je le crois aussi. »

Elle croisa les bras sur son ventre.

« Je me suis permis de faire du café.

– T'as bien fait.

– Vous en voulez ?

– Ouais, je vais me lever... »

Il jeta son portable sur le matelas, se retourna et s'étira en donnant un coup de pied au chat, qui ne réagit pas plus que ça. Là, il s'immobilisa et, les yeux gonflés de sommeil, observa Marie-Ange. Le drap cachait encore son entrejambe, mais c'était par miracle.

« T'as bien dormi ?

– Très bien. Il est très agréable, le lit de votre sœur, avec tous ses coussins. »

Elle s'était réveillée à l'aube et s'était occupée en faisant la vaisselle, du ménage dans le salon, puis elle avait passé cinquante minutes assise dans le canapé à caresser Ozu, mais elle ne jugea pas utile de le préciser.

« Le ukulélé. Je crois que je vais l'acheter. »

Capuche la fixa de ses yeux ronds.

« C'est mon premier ukulélé, j'ai appris à jouer avec, ça me ferait tellement plaisir que tu l'aies... Il n'est plus accordé, mais tu t'en fous, non ?

– Oui, ce ne serait pas pour en jouer. Ce serait plus... un souvenir.

– Je pourrais quand même te montrer. »

Elle sourit.

« 20 euros, c'est ça ? »

Vu l'expression ravie de Capuche, oui.

« C'est top de commencer la journée comme ça... Qu'est-ce que tu veux faire aujourd'hui ?

– Il va falloir que je rentre chez moi.

– T'as envie ? »

Elle n'avait aucune raison de lui mentir.

«Pas exactement.

– T'as envie de quoi?

– Mais... vous ne devez pas... travailler?

– Non, je t'ai dit. J'aide un pote qui vend des matelas au marché de Sannois, mais il est en vacances jusqu'au 15 août... Qu'est-ce que tu ferais aujourd'hui si t'étais toute seule?

– Voyons, on est mardi... Le mardi, en général, je vais au marché du boulevard Raspail et je déjeune avec ma mère. Seulement, c'est trop tard pour le marché et ma mère est en vacances.

– Tu manges où avec elle?

– Dans un restaurant chinois, rue de Grenelle. Elle va chez le coiffeur juste à côté et ensuite on se retrouve pour déjeuner.

– Et si on faisait ça? Pas le coiffeur, évidemment, mais le restau chinois.

– D'accord.

– J'adore la bouffe chinoise, et j'ai très faim!»

Il se leva brusquement pour aller chercher son caleçon posé plus loin sur une chaise. Évidemment, il était nu. Marie-Ange tourna la tête, un peu tard. Rien ne lui avait échappé, surtout que Capuche ne s'était pas vraiment pressé.

«Je les appelle pour réserver, dit-elle, comme si elle parlait au mur. C'est plus raisonnable.»

16

« Il faut que je sois là en juillet, pour m'occuper des affectations tardives comme la vôtre, et en août, pour remplacer les collègues. Donc, je pars un peu en juin et un peu en septembre. Comme ça je rends tout le monde jaloux!»

Ainsi Marjorie Smith-Déranger justifiait-elle sa mine cramoisie. Elle tira sur sa cigarette électronique comme si sa vie en dépendait et continua :

«Saint-Aygulf, vous connaissez?»

Julien lui fit signe que non. Ce prologue ne l'intéressait pas, mais cette femme avait la haute main sur son avenir, pas question de risquer de la froisser. Yeux plissés, donc, et tête légèrement penchée sur le côté, comme si rien au monde ne le passionnait plus que Saint-Aygulf.

« Quand on dit Saint-Aygulf, les gens vont à la plage de Saint-Aygulf et, forcément, ils sont déçus. Il faut marcher un peu, remonter en direction de l'Argens. On traverse une zone d'étangs et de roseaux, un truc protégé, de toute beauté, et on arrive aux Esclamandes. En fait, on devrait dire plage des Esclamandes, seulement c'est plus compliqué, comme mot. Saint-Aygulf, c'est plus facile. Dites-le. »

Julien redressa la tête.

« Pardon ?

– Dites Saint-Aygulf. »

Elle était barge.

Julien s'éclaircit la voix.

« Saint-Aygulf.

– Et maintenant, dites les Esclamandes. »

Inutile de résister.

« Les Esclamandes.

– Vous sentez la différence ? Y en a un qu'est plus facile à dire. Qui coule de source, si je puis dire. »

Marjorie Smith-Déranger. Tout le monde au ministère connaissait ce nom qui inspirait à la fois terreur et déférence, même aux ambassadeurs. On la rencontrait rarement, mais toujours pour des raisons importantes. Des rendez-vous qu'il était inutile de préparer : quoi qu'on ait prévu de lui dire, une espèce d'envoûtement opérait et, neuf fois sur dix, elle vous emmenait exactement où elle voulait, tout en douceur.

C'était un talent indiscutable qui expliquait sans doute qu'entrée au ministère trente-sept ans plus tôt elle n'avait jamais séjourné à l'étranger et avait accompli toute sa carrière à la DRH, où elle avait très vite occupé des postes à responsabilité. Certains le justifiaient autrement, prétendant qu'elle avait été la maîtresse d'un ministre dans les années 1980 – ce qui est possible tant son regard turquoise et son ossature parfaite avaient dû faire leur effet au moins jusqu'en 1985.

Aujourd'hui, ses paupières tombantes cachaient ses yeux et elle n'avait plus que la peau sur les os, une peau desséchée par trente ans de séjours sur la côte varoise et quarante de tabagisme. Oh, elle ne trompait personne avec sa vapoteuse parfum Banana Crush. On savait bien que, tôt le matin et tard le soir, quand il ne restait qu'elle et le vigile à l'étage, elle fumait de vraies cigarettes dans son bureau, comme si on était en 1978. On pouvait sentir l'odeur du tabac à trente mètres de là, dans le couloir, malgré les deux portes, dont une capitonnée... Elle fumait tellement qu'en l'écoutant on se raclait la gorge. Elle fumait tellement qu'en l'écoutant même ceux qui ne fumaient pas avaient envie d'arrêter.

Sa beauté s'était volatilisée mais il lui restait une certaine classe. Les bijoux en or étaient du meilleur effet sur sa peau brunie, elle avait un goût très sûr en matière de couleurs vestimentaires (vert bronze et bleu gris lui allaient à ravir) et personne ne portait aussi bien qu'elle l'eau de toilette de Jean-Louis Scherrer. Au printemps, boulevard Saint-Germain, il lui arrivait encore de faire tourner quelques têtes, même s'il s'agissait essentiellement d'homosexuels émoustillés par son allure et ses escarpins en daim (les gays l'avaient toujours appréciée).

« Pas question de séjourner au camping. Passer sur la selle après une Allemande qui a fait un festin d'anchoïade, très peu pour moi. Non, je loue dans un village, à un couple de petits vieux, des gens charmants. On ne signe même plus de papiers maintenant, je les appelle au mois de mars pour leur dire quand j'arrive et c'est bon. En plus, ils ne me font pas d'histoire avec Dolorès. »

Dolorès était sa chienne, une yorkshire qu'un mystérieux passe-droit l'autorisait à amener au ministère. La pauvre bête, qui ressemblait à toutes celles de la même race, arrivait le matin et repartait le soir dans un grand sac molletonné sous l'épaule de sa maîtresse. Entre-temps, elle passait une dizaine d'heures dans son panier, complètement abrutie par les vapeurs de banane écrasée, à jeter un œil réprobateur sur ceux qui défilaient dans le bureau. Quoique. En ce mardi 6 juillet, elle ne jetait aucune sorte d'œil sur Julien Fontana : terrassée par la chaleur extérieure, elle gisait dans sa couche, sur le flanc, yeux mi-clos et langue pendante. Elle aurait aussi bien pu être morte.

« Vous vous êtes mis au bengali ?

– Au bengali ?

– Oui, vous vous préparez un peu pour Dacca ?

– Dacca ?

– Au Bangladesh. Là où on vous envoie.»

Julien comprit que c'était une blague et rit en renversant la tête en arrière.

«Y a du boulot dans votre partie, là-bas, continua la Smith-Déranger.

– Ha, ha!

– Entre les réfugiés du Myanmar, les réfugiés climatiques, le travail des enfants...

– Je n'en doute pas!

– Vous avez pu vous entretenir avec Mme Cohen-Solal?

– Mme Cohen-Solal?

– L'ambassadrice.»

Le visage de Julien se figea dans un rictus disgracieux.

«Attendez, vous ne...

– Je ne quoi?

– On me propose Dacca?

– On fait plus que vous le proposer, répondit l'autre en se mettant à fouiller dans les papiers éparpillés devant elle. L'arrêté est signé et tout et tout...»

Julien eut l'impression que la terre bougeait sous sa chaise. Il avait mal dormi les deux nuits précédentes et sentait que ses résistances étaient affaiblies.

«Vous n'avez pas eu votre arrêté?

– Non. Je ne comprends pas, je pensais que... »

Smith-Déranger arrêta de chercher, croisa les mains et le fixa du regard.

« Dites-moi tout. »

Elle était moins détendue que quand elle lui expliquait comment accéder à la plage des Esclamandes.

« Je pensais qu'on m'enverrait à la RP.

– La RP... à New York ? Y a longtemps que c'est bouclé. Les arrivants sont déjà sur place.

– On m'a promis un poste là-bas.

– Hein ? Qui vous a promis quoi ?

– Enfin, pas promis... Rivière. En avril. Il m'a dit qu'un poste m'était réservé aux affaires humanitaires... »

Il réalisa qu'il manquait de salive, se força à déglutir et continua :

« Un peu après, il m'a appelé pour me dire qu'ils l'avaient donné à Guillaume Lacroix mais qu'on allait me trouver autre chose.

– Il peut dire ce qu'il veut, Rivière, mais il est ambassadeur, pas affectataire. Et, de toute façon, il s'en va. Il quitte New York en septembre.

– Ah bon ?

– Vous lui avez parlé quand, la dernière fois ?

– Y a deux, trois semaines.

– Bon, bah, y a trois semaines, il ne le savait pas encore. Il revient à Paris, le ministre le veut près de lui... »

Un aboiement résonna dans la pièce, bref mais perçant. Julien sursauta et regarda la chienne qui s'était manifestée sans raison apparente (un cauchemar, probablement). La pauvre bête, qui avait relevé la tête, ne ressemblait à rien. Ébouriffée, les babines de travers, elle jeta un œil halluciné sur la porte du bureau avant de se laisser retomber sur le côté, dans un soupir.

Imperturbable, sa maîtresse reprit :

« Ce n'est pas à Rivière qu'il fallait parler, c'est à moi. Les gens ne viennent jamais me voir, je ne comprends pas pourquoi. Je vous aurais expliqué qu'on donne rarement New York en premier poste à l'étranger.

– J'ai plein d'amis qui sont affectés là-bas.

– En premier poste ?

– Oui. Vautier. Emmanuel Vautier.

– Il vient de la Défense, Vautier. C'est un spécialiste des questions nucléaires. Sa place est à New York ou à Vienne.

– Mais alors pourquoi on m'a fait attendre ? »

Smith-Déranger prépara son effet en tirant sur sa fausse cigarette.

« Parce que vous êtes bon. Deux ambassadeurs vous voulaient et aucun ne lâchait le morceau. L'un d'eux a même fait le trajet pour m'en parler et je peux vous dire qu'il ne venait pas de la porte d'à côté.

– Mais je n'ai pas mis Dacca dans mes vœux !

– Personne ne demande Dacca spontanément, mon ami. Les gens ne me supplient pas non plus de les envoyer à Karachi, mais j'ai des cases à remplir, vous comprenez? Je ne les ai plus en tête, vos vœux, mais je crois me souvenir qu'ils ressemblaient à tous les autres : New York, Londres, Genève...

– Pas Genève.

– Pas Genève. Mais, bon, vous aviez demandé les villes que tout le monde demande, avec, en dernier, pour faire bonne mesure, un ou deux endroits moins rigolos mais pas horribles non plus, je me trompe? Qu'est-ce que vous aviez mis en dernier?

– Athènes. Et Malte.

– Le Club Med, quoi. Qu'est-ce que vous voulez que je fasse avec ça? Franchement?»

Julien, désespéré, laissa son regard dériver vers la gauche et se poser au hasard sur une armoire forte grise, particulièrement moche. En face de lui, la Smith-Déranger se penchait de plus en plus en avant, comme si elle s'apprêtait à lui sauter dessus.

«Il y avait quatre postes de conseiller à pourvoir cette année à la RP. Quatre postes, ça va vite. Un, deux, trois, quatre : voilà, c'est fini! Julien, regardez-moi. Vos petits copains qui sont envoyés à New York ou à Londres, qu'est-ce qui va se passer pour eux dans quatre ans? On va leur faire payer. Croyez-moi, je sais comment ça marche, j'ai trente-sept ans de maison, bientôt trente-huit. Ça commence par New York et ça se retrouve à Kigali ou Calcutta. Et là, ça gamberge, ça ne dort plus, ça se fait envoyer du Xanax par la valise diplo. Vous, c'est le contraire. Avec Dacca en premier poste, vous signalez que vous êtes quelqu'un que la difficulté n'effraie pas.»

Elle aurait pu lui dire n'importe quoi, lui raconter *Hansel et Gretel*, Julien ne réagissait plus. Il se projetait mentalement des images de Dacca. Des rues grouillantes de passants se déplaçant dans un vacarme de klaxons, des ciels jaunes de pollution et de poussière, des enfants nus jouant dans des eaux boueuses, des décharges sauvages, des chiens efflanqués... Lui qui s'était vu héler un taxi à la fin de la journée pour aller faire un squash au New York Health & Racquet Club ou prendre un cosmo au bar du Plaza...

«En plus, vous aurez le sentiment d'être indispensable. Croyez-moi, ils ont vraiment besoin de quelqu'un de votre calibre là-bas. L'ambassadrice ne s'en sort plus. Elle a demandé à ce que vous arriviez le plus tôt possible...»

On ne l'arrêtait plus, Smith-Déranger.

«Et, entre nous, vous avez pensé à l'IR[1]? À New York, en catégorie A, vous mettez très peu d'argent de côté, la vie y est tellement chère. À New York, vous voulez

---

1. Indemnité de résidence.

aller chez le coiffeur, il faut faire un emprunt. Alors qu'à Dacca, vous avez vu les chiffres ? Je serais vous, j'irais voir ma banquière en sortant d'ici ! »

*

Ce n'est pas chez sa banquière qu'il s'était rendu en sortant de là mais aux toilettes du cinquième étage, où il était resté une vingtaine de minutes, enfermé dans une cabine, à essayer de comprendre ce qui venait de se passer. C'était pourtant simple, la Smith-Déranger avait fait avec lui ce qu'un anaconda fait avec un œuf d'autruche.

Impossible en tout cas de retourner bosser. Au diable sa note sur l'insécurité dans les camps de réfugiés du Soudan du Sud. On ne l'avait pas vu dans son service depuis la fin de la semaine précédente, peu importe, il ne passerait pas une minute de plus entre ces murs. Il avait besoin de se retrouver dans un endroit où il n'aurait pas d'effort à faire. Un endroit où il n'y aurait personne à écouter, ni même (si possible) à regarder.

Non, vraiment, entre ça et *Assieds-toi sur ma bouche*, il passait une très bonne semaine. Tranquille, reposante.

17

Des façades sculptées, immaculées, des stores jaunes, des géraniums blancs, des colonnes, des voûtes, du bronze et du marbre. Bienvenue rue de Bellechasse, où les hommes portent des bermudas couleur framboise écrasée.

Marie-Ange avait voulu passer chez elle pour y déposer le ukulélé et se changer. Capuche l'attendait dans le taxi en bas de son immeuble et il avait l'impression d'être dans un musée. Mieux, dans un décor de film d'époque où une équipe venait de donner un dernier coup de peinture, lustrer les poignées en laiton et balayer. Ici, pas d'enseignes aux couleurs criardes, de restaurants turcs, de boutiques de cigarettes électroniques. Même le G7 avait de la classe : il écoutait Radio Classique, et pas Rire et Chansons.

Marie-Ange réapparut dans un look vacances. Île de Ré, disons. Île de Ré, jour de marché. Elle avait un chemisier bleu ciel et, sous le bras, un panier en osier. Elle avait troqué ses Tod's pour une paire d'espadrilles en toile blanche et ne portait plus de collier, comme si elle avait voulu s'affranchir. Elle sentait le lilas et la poudre de riz. Elle donnait envie de poser sa tête sur sa poitrine et de ne plus bouger.

Elle s'installa et le taxi démarra.

« Je ne suis pas sûre qu'ils te laisseront entrer dans cette tenue, dit-elle en sortant un vêtement de son panier. Alors je t'ai pris ça... »

Une chemisette blanche trouvée dans les affaires de son mari.

« J'espère que ce ne sera pas trop grand. »

En même temps, Philippe faisait 105 kilos et Capuche à peine 70.

« Je vais t'dire ça », fit-il en retirant ce qu'il avait sur lui, un tee-shirt aux couleurs passées montrant un bébé nageant sous l'eau derrière un billet de un dollar.

Marie-Ange ne chercha pas à éviter du regard ce torse dont l'apparence lui devenait familière.

« Comment c'est ? » demanda-t-il, une fois habillé.

Ce n'était pas seyant mais pas horrible non plus. Il pouvait passer pour quelqu'un qui aimait s'habiller large, comme les Américains.

« Ça ira », dit-elle sans se forcer.

Capuche parut satisfait, mais ce n'était pas à cause de l'effet produit par la chemisette. Ce qui lui faisait plaisir, c'était un petit changement qu'il venait de remarquer. Sans rien dire, Marie-Ange était passée au tutoiement. Elle avait laissé tomber le « vous », comme si elle l'avait oublié dans l'appartement du troisième étage. Grande victoire, mine de rien.

18

Au même moment, au ministère, Philippe sortait de son bureau, l'air soucieux. Il avait besoin de parler à sa secrétaire, qu'il essayait d'appeler sans succès depuis dix minutes (son numéro sonnait dans le vide). En voyant la porte du bureau entrouverte et la lumière s'en échapper, il ralentit le pas et, curieux de savoir ce qui empêchait la jeune femme de répondre au téléphone, approcha en faisant le moins de bruit possible. Il pencha légèrement la tête, aperçut Sabrine et, là, écarquilla les yeux...

La pièce, sans fenêtre et éclairée au néon, baignait dans une lumière jaune, trop forte, qui lui donnait un petit air de toilettes de centre commercial. Contre le mur du fond était plaquée une armoire métallique qui prenait beaucoup trop de place et sur laquelle étaient aimantées des cartes postales. Une plage paradisiaque, un village à flanc de colline, une vache broutant dans les alpages à laquelle une bulle faisait dire : « Moi, j'aime meuh la couler douce ! »

Au mur, l'affiche officielle de la Journée internationale de la francophonie 2012 représentant un trèfle à quatre feuilles (qui ressemblaient à quatre spermatozoïdes encastrés les uns dans les autres). Sur le bureau, une bouteille de Yop, une carte de cantine, trois tickets d'Astro grattés, la photo encadrée d'une enfant à l'air stupide et une peluche (une grenouille verte portant des lunettes en forme de cœur). Rien, à part l'ordinateur, en rapport avec le travail. Pas le moindre document, la moindre chemise, même pas un stylo.

Tout cela était parfaitement normal, attendu. Ce qui l'était moins, c'était ce que Mlle Gouix était en train de faire à l'arrivée de son patron : elle avait décapsulé une canette de Coca-Cola dont elle versait des petites quantités sur le clavier de son ordinateur.

Rigaud n'en croyait pas ses yeux. Des histoires à dormir debout, il en connaissait plus d'une au bout de trente-cinq ans de maison. Il avait pris l'ascenseur avec une femme qui, ayant oublié de mettre sa jupe, ne portait qu'une paire de collants noirs sous son manteau. Il avait connu un directeur si près de ses sous qu'il dormait dans un box de parking, porte de Champerret, et prenait sa douche dans un club de sport. Il avait surpris un conseiller en conversation avec un arbre dans les jardins de l'ambassade à Varsovie (surmenage). Ces anecdotes, aussi absurdes soient-elles, avaient toutes une explication. Là, il ne comprenait pas. Qu'est-ce qui, à part la démence pure, pouvait pousser quelqu'un à verser du Coca-Cola sur un clavier d'ordinateur ? Fallait-il s'inquiéter, contacter le dispensaire ? À moins que ce soit un remède de bonne femme, une astuce de magazine féminin. *Pour donner une seconde vie à votre ordinateur, verser du Coca-Cola sur votre clavier...* Non, impossible.

Il fit un pas de côté et s'adossa au mur en hochant la tête d'incrédulité. Du mouvement sur sa droite attira son regard. Un homme sortait des toilettes en s'essuyant les mains dans une serviette en papier. Il observa Philippe en plissant le nez, le reconnut et, visiblement ravi de cette coïncidence, vint à sa rencontre. C'était Fayolle.

Charles Fayolle était un diplomate « en instance d'affectation », c'est-à-dire *sans* affectation, ni à l'étranger, ni à Paris, ni ailleurs. Quelqu'un que l'administration continuait à payer mais dont elle ne savait que faire – ou, plus précisément, n'avait que faire. Un fonctionnaire, souvent en fin de carrière, dont le réseau se révélait inopérant et que personne ne voyait l'intérêt de satisfaire. Cette expérience d'oisiveté subie pouvait se révéler douloureuse – Philippe, qui, pour d'autres raisons, s'était retrouvé dans cette situation au début des années 2000, en savait quelque chose.

Il faut dire que Fayolle n'avait rien de particulièrement inspirant. Le point culminant de son parcours était un poste de conseiller aux affaires sociales à Erevan, c'est-à-dire rien. De la vieille école, il avait loupé le coche de l'informatique (sans parler du numérique) et continuait à dicter ses rapports à sa secrétaire, renversé sur sa chaise, en tirant sur sa cigarette. Oui, car lui aussi fumait excessivement. Dans son cas, on pouvait même parler d'une obsession. Il avait fait un malaise lors d'une réunion de l'ancien Conseil de sécurité intérieure, en 1994, où toute sortie était interdite (depuis, il avait pris ses dispositions et ne s'était plus rendu à ce genre d'événement sans être couvert de patchs). Cette dépendance avait pour effet de le faire paraître plus vieux qu'il était (à 63 ans, il en faisait 85) et malade (en le voyant, on pensait immanquablement *Cet homme a un cancer* ou *Quand je prendrai mon premier bain de mer de l'année, l'été prochain, cet homme sera probablement mort*). Pratiquement aveugle d'un œil, il avait le teint hépatique, les lèvres grises, le crâne dégarni et parsemé de taches brunes. Grand fan de gilets sans manches et affublé d'une sempiternelle cravate bordeaux, il promenait sa longue carcasse voûtée dans les couloirs du ministère en ralentissant devant chaque bureau ouvert pour voir ce qui s'y passait et en laissant sur son passage une odeur insupportable, mélange improbable de tabac, d'eau de Cologne et d'urine.

Cet homme vouait à Philippe un attachement qui n'avait pas d'explication : ils n'avaient jamais travaillé ensemble, ne se fréquentaient pas en dehors du ministère. Vingt ans plus tôt, il s'était mis à lui parler devant l'ascenseur et, depuis, il s'adressait à lui comme s'ils étaient amis alors que les deux hommes étaient de parfaits étrangers l'un pour l'autre.

En général, Rigaud parvenait sans mal à échapper à son attention (Fayolle était d'une lenteur extraordinaire et ne voyait plus rien). Ce jour-là, malheureusement, impossible de se défiler.

« Rigaud ! Comme la vie est bien faite ! »

Philippe ne prit pas la peine de serrer la main qui lui était tendue.

« Comment êtes-vous entré à l'Inspection ?

– J'ai croisé votre secrétaire dans la cour. Nous sommes remontés ensemble et elle m'a gentiment ouvert.

– Vous savez que l'accès est interdit à toute personne étrangère au service.

– Je sais bien. Il faut faire des codes pour entrer partout de nos jours. À la DRH, c'est pareil, ils ne laissent plus entrer personne. Ils ne prennent même plus mes appels, vous vous rendez compte ? Des gens à qui j'ai permis d'être où ils sont. Bernard Bertrand, j'ai fait partie de son jury de concours il y a dix ans. C'est grâce à moi qu'il est parti à Berlin!»

Philippe remarqua les filets de bave aux coins de sa bouche et recula d'un pas. L'autre se rapprocha d'autant et murmura, comme s'il lui confiait les codes atomiques:

«Claude Cheysson.

– Claude Cheysson?

– Il a vanté la qualité de mon rapport sur la réforme du statut des personnels de la coopération en 1984. J'ai un mot signé de sa main, je pourrai vous en donner une copie.

– Ça ne sera pas nécessaire.

– Ne pensez pas que ça me prive, j'ai fait plusieurs photocopies.

– Ça ira, vraiment.

– Vous avez parlé à Reynaert?

– Je vous demande pardon?

– La dernière fois qu'on s'est vus, vous m'avez promis que vous lui glisseriez un mot.»

Pure invention. Qui, d'ailleurs, n'avait aucun sens: Reynaert était le directeur du cabinet du ministre, soit l'une des personnes les plus courtisées et les moins accessibles du ministère. Philippe ne le voyait jamais et, s'il avait eu cette chance, Fayolle était bien le dernier sujet qu'il aurait abordé avec lui.

«La prochaine fois que vous le voyez, dites-lui que je parle russe. Je ne pense pas qu'il le sache. Oh, je me doute bien qu'on ne va pas me nommer ambassadeur à Moscou.

– Non.

– Mais on pourrait m'y confier un bon poste. Ils ne sont pas si nombreux les diplomates russophones.»

Il leva une main autoritaire.

«Slav'sya, nasha svobodnaya strana!» éructa-t-il.

Philippe grimaça comme en pleine crise hémorroïdaire.

«Sois glorieuse, notre libre partie!» traduisit l'autre en postillonnant.

Sabrine Gouix, alertée par le bruit, passa une tête inquiète dans le couloir. En y découvrant son patron, elle retourna aussitôt à l'intérieur, mais Philippe l'appela:

«Sabrine!

– *Sabine*, corrigea mollement Fayolle.

– Je sais ce que je dis, rétorqua Philippe. Sabrine!»

La secrétaire montra le bout de son museau.

«Il faut que je vous voie, dit Rigaud, c'est important.»

Elle marqua un temps, comme si elle cherchait à se rappeler où se trouvait la sortie de secours la plus proche.

«Ça va pas être possible, il faut que j'aille au service informatique.»

Philippe se sentit bouillir.

«Qu'est-ce qui vous arrive encore?

– C'est mon clavier. Il marche plus, je sais pas pourquoi.»

Fayolle se tourna vers elle.

«Une de mes secrétaires a eu un problème similaire autrefois. La touche "e" de son ordinateur ne fonctionnait plus. C'est là qu'on réalise qu'il y a énormément de mots comportant la lettre "e" dans la langue française.»

Philippe ne l'écoutait pas. Il venait de comprendre. Le Coca-Cola sur le clavier de l'ordinateur. C'était pour avoir une bonne raison de se rendre au service informatique. Gouix avait le béguin pour le nouvel informaticien, un grand gaillard au physique de joueur de rugby auquel les secrétaires du ministère faisaient les yeux doux...

Il posa une main sur l'épaule de Fayolle et, de l'autre, lui indiqua la sortie.

«Cher monsieur, bonne journée. Pour ouvrir la porte, il suffit de presser le bouton rouge.»

Puis il pointa Sabrine du doigt.

«Vous. Dans mon bureau. Maintenant.»

19

« J'ai rêvé ou tu m'as dit que ton mari ne rentrait pas ce soir ? »

Marie-Ange releva la tête. Ses lunettes de lecture lui donnaient un air différent, moins candide.

« Il va rentrer, mais tard. Il ne sera pas là pour dîner.

– Il va voir sa maîtresse ? »

Elle ébaucha un sourire et posa le menu sur la table.

« Il travaille sur un livre, depuis plusieurs années. Un livre très important pour lui, sur l'histoire de Nevers.

– Sur ?

– L'histoire de Nevers. De Nevers et du Nivernais. Le titre exact, c'est *Histoire de Nevers et du Nivernais de l'édit de 1765 à nos jours*. Il voudrait écrire le livre de référence sur le sujet.

– C'est quoi, ce délire ?

– Ce n'est pas un délire, ça le passionne. C'est sa ville, il a grandi là-bas. »

Elle reprit sa lecture sous l'œil dubitatif de Capuche.

« Donc, les soirs où il écrit, il reste au ministère ? »

Marie-Ange posa le menu sur la table.

« Non, il écrit dans un studio, dans le centre de Paris. Rue Saint-Sauveur. Un petit studio qu'il a acheté exprès.

– Hein ? »

Elle haussa les épaules.

« C'est comme ça, il ne peut pas écrire ailleurs.

– Il y va souvent ?

– Le week-end, au moins une fois. Il y passe le dimanche, en général. Et il lui arrive d'y faire un saut en semaine. »

Capuche n'en revenait pas.

« Tu y as déjà été, toi ?

– Oui, une fois.

– C'est comment ?

– Oh, c'est une toute petite pièce. Une ancienne chambre de service avec une lucarne et une table pour écrire. Ce n'est pas un endroit agréable, il n'y a rien d'autre à faire que travailler. »

Elle lui adressa son fameux sourire poli et se replongea dans l'étude du menu.

Il la fixa deux secondes sans rien dire puis consulta la carte à son tour. Là, progressivement, ses sourcils se froncèrent...

Il se doutait bien qu'elle ne l'emmènerait pas à Flunch. Quand elle avait parlé de restaurant chinois, il avait imaginé quelque chose de douillet, dans les tons rouges, avec un grand aquarium à l'entrée. Agréable mais pas luxueux. Or c'était luxueux. Extravagant, même. La salle, lumineuse, aérée, se trouvait au premier étage d'un bâtiment qui ressemblait à l'Élysée. Les nappes n'étaient pas rouges mais beiges, d'ailleurs tout était beige – les voilages, la moquette, le revêtement en velours de soie des chaises Grand Siècle. Les autres tables étaient occupées par des femmes qui ressemblaient toutes à Marie-Ange : parfaitement habillées, maquillées, détendues. Le menu était écrit en pleins et en déliés, il y avait très peu de plats et pas de formule.

« Le magret de canard est exceptionnel, dit-elle.

– Où il est ?

– Sur la page de gauche. Tout en bas. »

Magret de canard aux 5 parfums.

L'œil de Capuche s'aventura au bout de la ligne de pointillés : 38 euros ! Quand il allait chez Wang, le traiteur chinois du bout de sa rue, il faisait un repas pour moins de 5 euros. Et il en ramenait à la maison.

Il déglutit discrètement.

« Ce que j'aime, dans la bouffe chinoise, c'est les trucs fourrés...

– Les nems ?

– Exactement, mais j'en vois pas.

– Plus haut. Dans les entrées. »

Triangles de nems à la langoustine. 30 euros.

Il referma subitement le menu.

« J'ai pas 30 euros.

– Pardon ?

– 30 euros, je les ai pas. »

Assimiler cette information demanda un peu de temps à Marie-Ange.

« Tu veux dire en général ?

– En général, et pour payer des nems. Donc, c'est pas compliqué. Ou bien on va ailleurs, ou bien je prends juste un truc, genre un dessert à 12 euros, tu m'avances et je te rembou...

– Marie-Ange ! » appela une voix de femme.

Une Asiatique boulotte approchait de leur table d'un pas énergique. Le bloc-notes qu'elle avait à la main indiquait qu'elle se trouvait sur son lieu de travail, même si elle avait plutôt l'air d'une cliente. Chemisier en satin motif léopard, pantalon ivoire fluide, souliers vernis. Pas un faux pli, beaucoup de fond de teint et un chignon impeccable.

L'épouse de Philippe se leva et les deux femmes devisèrent à mi-voix en se tenant les mains. Puis Marie-Ange reprit sa place, fit les présentations (l'autre, qui s'appelait Nicole, était la patronne) et passa la commande :

« Avant toute chose, champagne ! »

Imelda Marcos adressa un signe à un serveur à l'autre bout de la pièce.

« Et puis tu nous mettras des nems à la langoustine et des ravioles aux noix de Saint-Jacques, on partagera.

– Si tu veux, je te fais un petit méli-mélo. Nems, rouleaux de printemps, fleurs de courgette au tourteau, ravioles...

– Quelle bonne idée !

– Tu m'en diras des nouvelles. »

Capuche les observait comme à Roland-Garros.

« Et, ensuite, magret de canard et poulet grillé au miel, on piochera.

– Très bon choix.

– Et puis on finira sur un sorbet au café.

– Marie-Ange, si je peux me permettre, tu ne devrais pas laisser passer la boule de neige à la noix de coco.

– Je te fais confiance. Un sorbet *et* une boule de neige. »

Nicole remercia sa cliente en lui pressant l'épaule et se volatilisa.

Marie-Ange retira ses lunettes et se pencha vers Capuche.

« J'ai envie qu'on soit bien, murmura-t-elle. Et, bien sûr, je t'invite ! »

Elle avait compris. L'histoire des 30 euros lui avait mis la puce à l'oreille et elle avait fait le lien avec d'autres détails : la maigreur de Capuche, ses cheveux coupés maison, le contenu du frigo chez Jany Fontana (un sachet de saucisses Knacki ouvert, un reste de riz durci dans une barquette en plastique). Il n'avait rien, c'était aussi simple. Il n'avait pas de travail, pas d'argent et probablement pas de toit à lui. Ce garçon ne possédait que sa bonne nature et sa jeunesse.

Elle s'en voulait d'avoir mis autant de temps à le réaliser (elle n'était pas rapide, Philippe le lui reprochait constamment). Il faut comprendre, les garçons de l'âge de Capuche qu'elle connaissait étaient à l'ENA, HEC ou Yale. Ceux qui n'étudiaient pas achetaient des immeubles ou faisaient la fête à Saint-Barth. Jamais elle n'en avait rencontré dont l'occupation consistait à aider un ami qui vendait des matelas sur un marché.

Le champagne fut servi rapidement. Marie-Ange donna son avis («Impeccable»), ils trinquèrent («À nous!», «À la vie!») et, lorsque Capuche but à son tour, il se contenta de fermer les yeux – c'était la première fois qu'il mettait dans sa bouche un liquide qui lui semblait magique...

«Alors, c'est quoi le plan?»

Capuche mit un peu de temps à rouvrir les yeux.

«Hein?

– Le plan pour retrouver J. Fontana?»

Il posa doucement sa flûte sur la table et plaça sa main à côté comme si elle était chargée de la surveiller.

« J'avais deux-trois idées mais l'histoire du studio a tout remis en question.

– Ah.

– Ton mari voit ses maîtresses là-bas, c'est clair. Son livre, à mon avis, c'est du pipeau.

– Tu n'es pas le premier à le dire. Ma meilleure amie le pense aussi. Mais je ne vois pas comment ce serait possible. C'est minuscule et puis il n'y a pas de lit. Juste un bureau, une méridienne, une tapisserie au mur, et voilà.

– C'est quoi, une méridienne ?

– Un canapé sur lequel on peut s'allonger. Pour une seule personne, en général.

– C'est suffisant.

– Il n'y a même pas d'arrivée d'eau, même pas un pauvre lavabo, tout est sur le palier.

– Pas important, ça. »

Ils se mirent à boire en même temps.

« Petite question, reprit Capuche, y a longtemps que tu y as été ?

– Un certain temps, oui. Je n'ai aucune raison d'y aller.

– Genre, quoi ? Six mois, un an ?

– Non ! Il y a huit ans, je dirais. Peut-être plus.

– Et quand tu y as été, ton mari savait que tu venais ?

– Oui, puisqu'on y est allés ensemble.

– Je te parie que ça a gagné en confort. Et que, ce soir, il y sera pas seul. »

Marie-Ange chercha des doigts son pendentif, qu'elle avait laissé chez elle.

« Y a qu'une façon de le savoir, continua Capuche. Tu es sûre qu'il y sera ce soir ?

– Oui. Il me l'a dit et, en général, il fait ce qu'il dit.

– Eh ben, on va aller lui rendre une petite visite. Sans prévenir, évidemment. »

20

« Est-ce que vous savez pourquoi je vous ai demandé de venir ? »

Il aurait voulu poser cette question d'une manière moins brusque, mais cette fille avait le don de faire ressortir l'adjudant en lui (qui n'était jamais très enfoui, il faut dire). Il tenta de compenser en faisant passer un peu de bienveillance dans son regard mais n'y parvint que moyennement : on aurait dit qu'il retenait une violente nausée.

« À cause de votre histoire de portable ? répondit Sabrine Gouix.

– Non, je m'en suis chargé moi-même. G7 a un service qui s'occupe des objets perdus dans ses taxis, ils n'ont pas trouvé mon téléphone. »

Il inspira profondément et reprit :

«Je vous ai convoquée au sujet de Testa. L'inspecteur général m'a chargé de préparer une bafouille à sa signature, pour la famille. Or j'ai consulté le dossier de ce pauvre garçon, je n'y ai rien trouvé qui me renseigne sur sa personnalité. J'ai donc besoin que vous me parliez de lui. Dans les grandes lignes, hein, ne me racontez pas sa vie non plus.»

L'autre avait dans le regard l'expression d'une Miss à qui on aurait demandé un commentaire sur l'œuvre de Piketty.

«Vous voulez que je vous parle de l'inspecteur général?

– Non, de Testa! Pourquoi voudriez-vous que je vous demande de me parler de l'inspecteur général? Réfléchissez une seconde! J'ai besoin que vous me parliez de Testa, que vous me disiez quel genre de garçon il était... Vous le fréquentiez un peu en dehors du travail?

– Jamais de la vie.

– Vous ne mangiez pas avec lui à la cantine?

– Plutôt mourir! Quand il me voyait, il faisait ça...»

Elle cala deux doigts aux coins de sa bouche et sortit sa langue qu'elle agita de gauche à droite.

Philippe lui fit signe d'arrêter.

«Ça ira, j'ai compris... Vous ne lui connaissiez pas de hobby? De centre d'intérêt?»

Mlle Gouix réfléchit.

« Pas vraiment... À part la culotte d'Évelyne Dhéliat.

– Je vous demande pardon ?

– Il avait une culotte qui avait appartenu à Évelyne Dhéliat. Enfin, soi-disant. Il l'avait achetée sur Le Bon Coin. Il l'avait raconté à Wojtek, le vigile, en lui demandant de ne pas le répéter, mais, bon, tout le monde le savait. Anne-Lise et moi, on se doutait bien que ce n'était pas une vraie culotte d'Évelyne Dhéliat, on n'imaginait pas une femme comme elle vendre ses petites culottes sur Le Bon Coin, mais on ne pouvait rien dire vu qu'on n'était pas censées savoir... »

Elle parlait d'un homme qui était passé en commission disciplinaire en 2002 pour avoir tenté de fixer une caméra sous un dérouleur de PQ avec de la Patafix. Ce type n'était qu'un pauvre malade sexuel.

« Je vous remercie de me faire part de cet épisode mais vous vous doutez bien qu'on ne peut pas l'évoquer dans une lettre de condoléances. Ça ne le met pas en valeur, si vous voulez. J'ai besoin que vous me parliez de ses qualités, il en avait forcément, même les pires énergumènes en ont.

– Il vivait dans un studio, porte d'Italie. Un logement social. Il payait dans les 300 euros. Y avait que des Chinois dans son immeuble.

– Je ne vois pas en quoi ça le rend sympathique.

– Non, je sais. C'est pour dire. »

Philippe soupira lourdement et lui mit sous le nez quelques phrases qu'il avait jetées sur le papier un peu plus tôt, en la prévenant :

« C'est une base de travail. »

C'est avec ~~une immense~~ tristesse que j'ai appris le décès brutal de M. Alain Testa, agent administratif, collaborateur apprécié et

~~*Quelle tragédie épouvant*~~

~~*Les mots me manquent*~~

~~*Toute*~~ *l'équipe de l'Inspection générale,* ~~*abasourdie*~~, ~~*choquée*~~, *se joint à moi pour*

Sabrine Gouix releva la tête.

« C'est pour qui, cette lettre ?

– Pour qui voulez-vous que ce soit ? Sa famille.

– Il n'avait pas de famille, Testa. Il n'avait que sa mère, mais elle était méchante. Quand il était bébé, elle l'attachait à un radiateur.

– Dans quel but ?

– Je crois qu'elle n'avait personne pour le garder. »

L'explication n'était pas satisfaisante mais Philippe n'avait pas envie de creuser la question.

« Elle est toujours en vie, cette femme ?

– Ah, oui. Elle est venue gueuler sous les fenêtres du ministère, y a pas longtemps. Lui réclamer de l'argent.

Elle a fait un scandale rue de l'Université. Vous ne l'avez pas entendue?»

Rigaud fit non de la tête.

«C'est une clocharde? demanda-t-il en relevant un sourcil.

– Non, pourquoi?

– Bon, bah, la lettre sera pour elle. Le ministère ne peut pas se dispenser d'envoyer ses condoléances.»

Sabrine Gouix relut l'ébauche de lettre en rongeant ce qui lui restait d'ongle au pouce gauche. À peu près à mi-parcours, elle fut prise d'un haut-le-cœur qui n'avait rien à voir avec son pouce ni avec ce brouillon mais plutôt avec les 850 ml de Yop framboise «nouvelle recette onctueuse» qu'elle s'était enfilés en fin de matinée.

«J'imagine pas du tout l'inspecteur général triste en apprenant la mort de Testa. À mon avis, il ne savait même pas qui c'était.

– Non, bien sûr, mais là n'est pas la question.

– Et *collaborateur apprécié...* Franchement, personne ne l'appréciait.

– Je ne vais pas mettre *collaborateur détesté*, dit Philippe en s'énervant. Bon, citez-moi une ou deux qualités du bonhomme et on envoie le truc. On ne va pas y passer la nuit non plus!

– Il était toujours à l'heure.

– D'accord, mais *collaborateur ponctuel*, ce n'est pas valorisant. Consciencieux? *Collaborateur consciencieux*, ça vous semble plus juste? Il aimait son travail, non?

– Alors, là, pas du tout! Il disait que c'était encore pire qu'Auschwitz, parce que Auschwitz c'était temporaire alors que ce travail, ça recommençait tous les jours. Quand un inspecteur venait lui demander un document, il disait "À vos ordres, *Herr Kommandant*" dès qu'il était parti... Vous savez ce qu'il a fait une fois?»

Mlle Gouix se pencha vers son patron et se mit à parler bas comme si elle craignait d'être entendue par le fantôme de Testa:

«Il a passé à la déchiqueteuse les rapports de M. Pellegrini.»

Joël Pellegrini avait été inspecteur général de 2009 à 2013.

«Lesquels? demanda Philippe.

– Tous!

– Pourquoi il aurait fait une chose pareille?

– C'était au moment du mariage pour tous. Il disait que M. Pellegrini était homosexuel et que, si on les laissait faire, ils épouseraient bientôt leur chien. Enfin, lui, il ne disait pas *homosexuels*, il employait un autre mot.»

Philippe cligna nerveusement des yeux.

«Vous voulez dire qu'il n'y a plus de rapport signé Pellegrini dans les archives de l'Inspection générale?

– Plus rien, zéro, nada ! On a vérifié avec Anne-Lise.

– Vous auriez pu m'en parler...»

Le téléphone émit une sonnerie désagréable, une sorte de sirène d'ambulance en accéléré.

Philippe jeta un œil las sur l'appareil et se redressa d'un coup en apercevant les lettres « SEC GEN » sur le cadran. Secrétaire général. Il posa une main sur le combiné et, de l'autre, fit signe à son assistante de ne pas ouvrir la bouche. Il laissa passer une deuxième sonnerie et décrocha.

« Jean-Bernard, bonjour... Magnifiquement, écoute, je parlais de toi la semaine dernière avec l'attaché militaire de l'ambassade du... Ah, d'accord... D'accord... (Il pivota lentement sur son fauteuil de manière à tourner le dos à Mlle Gouix.) Bien sûr... Bien entendu... Absolument... Demain, 10 h 45, compte sur moi.»

Après avoir raccroché, il n'était plus tout à fait le même homme. Il avait pris des couleurs et sa bouche tremblotait sous l'effet de la surprise. Il fut tenté de demander à sa secrétaire comment elle l'avait trouvé mais il se dit que sa réponse serait forcément décevante. Il s'enfonça dans son fauteuil et, l'œil rivé sur le téléphone, se perdit dans ses pensées. Un long moment s'écoula pendant lequel il oublia jusqu'à l'existence de Sabrine, qui finit par murmurer :

«Vous avez rendez-vous avec le SG ?

– Euh... moui.

– C'est pas n'importe qui.

– Non.

– Et vous savez pourquoi ?

– Je n'en ai pas la moindre idée. »

Disons qu'il se doutait que c'était pour une raison importante. Le secrétaire général ne donnait pas des rendez-vous pour qu'on l'aide à choisir la couleur des coussins de l'espace détente... Et si c'était en rapport avec un autre genre de décoration ? Après tout, ça s'était passé comme ça la première fois. Le chef du protocole de l'époque avait convoqué Philippe pour le prévenir que la proposition avait été transmise au grand chancelier. Il ne connaissait pas le délai requis pour le passage du grade d'officier à celui de commandeur, mais il devait l'avoir largement respecté puisqu'il avait été décoré en 1996...

« Y a vraiment quelque chose dans l'air, se dit-il à lui-même.

– Ça doit être la chaleur, hasarda Gouix.

– Oui, voilà. Vous devez avoir raison, pour une fois. »

21

En sortant du restaurant, ils marchèrent un peu. Marie-Ange voulait montrer à Capuche une galerie d'art située à deux rues de là, un endroit qui lui faisait du bien chaque fois qu'elle s'y rendait. Se trouvant dans son quartier, elle craignait vaguement de tomber sur quelqu'un de sa connaissance. Non qu'elle se sente en faute mais elle aurait du mal, pensait-elle, à expliquer la présence de ce garçon à ses côtés. Elle se rassurait en se disant qu'ils ne faisaient que passer et qu'en ce début juillet une grande partie des gens qu'elle connaissait avaient déjà quitté Paris. La probabilité d'une rencontre était ridicule. Ridicule mais pas nulle...

Ils s'étaient à peine engagés rue de Bourgogne qu'elle aperçut deux femmes marchant en sens inverse sur le trottoir d'en face. Agathe Kaas et sa mère. Soit les pires personnes qu'elle pouvait croiser.

Elle baissa la tête et accéléra le pas, distançant rapidement Capuche, qui découvrait un message dans son téléphone. Ce changement de rythme ne fit qu'attirer l'attention et, très vite, une voix de vieille femme rompit le silence assoupi de ce début d'après-midi.

« Là, la femme de Rigaud ! s'exclama-t-elle sans aucune discrétion. La femme de Rigaud !

– Ouh-ouh ! » enchaîna l'autre.

Marie-Ange tourna la tête, prit l'air surpris et désigna la montre autour de son poignet pour signifier qu'elle était pressée. Peine perdue : les deux autres, lancées comme deux labradors entendant un bruit de croquettes dans une gamelle, traversèrent la rue pour la rejoindre.

Agathe Kaas était la petite-fille d'un riche industriel rhénan, l'héritière d'une fortune colossale réalisée dans le PVC. On pouvait difficilement la présenter autrement puisqu'elle n'avait rien accompli de significatif dans sa vie, qu'elle passait à faire les boutiques avec sa mère, une harpie octogénaire qui, en hiver, portait des manteaux de fourrure si longs qu'ils traînaient par terre.

« Sans l'œil de faucon de maman, nous t'aurions loupée », dit la Kaas à Marie-Ange.

Au même instant, Capuche, arrivé à la hauteur des trois femmes, leva le nez de son portable et annonça :

« J'ai reçu un message pour le ukulélé.

– Bah, alors, qu'est-ce que ?! laissa échapper la vieille, qui pensait qu'un inconnu les abordait.

– Je le connais, intervint Marie-Ange. Il est avec moi. » Les deux autres examinèrent Capuche, sa chemise trop grande et ses cheveux mal coupés, sans rien dire. Le dégoût, semble-t-il, les empêchait de parler. Lui tenta un sourire inutile et, sentant leur hostilité, agita son téléphone devant les yeux de Marie-Ange.

« Je vais répondre qu'il est vendu. »

À peine s'était-il éloigné que la vieille commenta, sans peur d'être entendue :

« J'ai cru que c'était un Roumain qui voulait me voler mon sac !

– Qui est-ce ? demanda aussitôt sa fille.

– Un ouvrier qui m'aide pour la journée, répondit Marie-Ange du tac au tac.

– Fais attention, quand même.

– À ne pas finir comme Mme Clérisse, compléta la vieille en donnant un coup de sac à sa fille. Raconte-lui ce qui est arrivé à Mme Clérisse !

– Huguette Clérisse, reprit l'autre.

– La veuve de Jean Clérisse, le pilote, dit sa mère.

– ... qui habite avenue de Versailles...

– Le mauvais 16e.

– Eh bien, elle s'est fait agresser.

– Violée ! À 78 ans !

– Par un faux livreur de Monoprix. Tu te rends compte ? Elle a ouvert la porte à son agresseur !

– C'est elle qui l'a fait rentrer ! »

La Kaas se pencha vers Marie-Ange.

« Elle en gardera des séquelles, confia-t-elle en désignant son entrejambe.

– C'était un Arabe, reprit sa mère, mais il paraît qu'on ne pouvait pas faire la différence. »

Marie-Ange, déroutée par tant de négativité, bredouilla :

« Lui est très gentil... »

La vieille posa la main sur son bras.

« L'astuce, c'est de leur demander leurs papiers, et de les garder avec vous jusqu'à la fin. Comme ça, ils ne peuvent pas se barrer avant que le travail soit terminé.

– Il est français ? demanda sa fille.

– Oui.

– Non, parce qu'ils sont finauds. Ils prennent des cours de français accéléré dans leur pays, avant de partir. On leur apprend quelques mots dont ils vont avoir besoin, comme *couverture maladie universelle* ou *regroupement familial*, mais on leur apprend surtout à gommer leur accent. »

La vieille peau observait sa fille, la bouche ouverte de contentement, comme si elle se réjouissait du degré d'abjection auquel elle était parvenue à s'élever.

« Et Philippe, continua Agathe, comment va-t-il ?

– Oui, tiens, qu'est-ce qu'ils en disent de tout ça, au ministère ? »

Marie-Ange ferma les yeux comme pour mieux trouver ses mots.

« Ce n'est pas un ouvrier, je ne sais pas pourquoi je vous ai dit ça. C'est un garçon que j'ai rencontré hier, un garçon très sympathique à qui j'ai acheté un ukulélé. »

Évidemment, c'était moins drôle. C'était gentil, touchant, altruiste, on ne pouvait plus gloser. On tenta bien de relancer la conversation autour de la température (qui, quoiqu'ayant baissé, restait indisposante) mais, de toute évidence, le cœur n'y était plus. Et les deux mégères repartirent de leur côté, déconfites et voûtées, tels deux charognards dont le festin aurait été écourté.

Marie-Ange rejoignit Capuche en se demandant si leur méchanceté empirait ou si c'était elle qui devenait de plus en plus sensible.

« Qui c'était ?

– La plus âgée est une amie de ma mère. Enfin, pas vraiment une amie. Disons qu'elle la connaît... »

Capuche s'arrêta, Marie-Ange l'imita.

« Regarde, dit-il en faisant de mine de souffler dans un ballon en caoutchouc puis de faire un nœud à son extrémité. Tu vois ce ballon rouge ? »

Elle se prit au jeu.

« Tu es sûr qu'il est rouge ?

– Ça marche mieux s'il est rouge.

– Ah, d'accord. Alors, oui, je le vois.

– Eh bien, ces deux femmes sont dedans. Ce qu'elles ont raconté aussi. Leur méchanceté, leur agressivité. »

Là, il fit mine de laisser le ballon s'envoler et de suivre du regard sa trajectoire dans les airs.

« Voilà ! Envolé ! Ce moment n'a jamais existé ! »

Marie-Ange regarda à son tour le ballon invisible s'élever dans la rue de Bourgogne.

« Ce moment n'a jamais existé », répéta-t-elle en souriant.

22

Vendredi soir, pour moi, ça marche.

Pardon, plutôt jeudi soir.

Assieds-toi sur ma bouche.

Avec plaisir

d'abord, ma bouche.
avec ma langue je lèche tes lèvres.
et puis tes joues et tes paupières,
qui se ferment sur notre secret.

Il devait répondre à Philippe. On ne peut pas demander à quelqu'un de s'asseoir sur sa bouche, lui mettre cette image dans la tête et le laisser tomber. C'est une question de savoir-vivre. Il fallait qu'il se manifeste, mais comment? Lui répondre quoi? «J'adorerais»? «lol»? D'autant qu'il le croiserait forcément bientôt. Qu'est-ce qu'il lui dirait? «Je t'appelle sans faute et on se voit très vite. Promis, tu pourras t'asseoir sur ma bouche»? «J'ai bien reçu le message dans lequel tu disais vouloir lécher mes lèvres, mes joues et mes paupières, mais j'étais vraiment charrette»?

Il était bizarre, d'ailleurs, ce second message de Philippe. Pas vraiment cohérent avec ce qui précédait. Comment pouvait-il envisager de lécher les lèvres, les joues et les paupières de Julien s'il était assis sur sa bouche? C'est physiquement impossible, même pour un contorsionniste exceptionnel. Étrange...

Il posa son téléphone sur le bar et but une gorgée de bourbon.

Il y avait quelque chose d'éminemment rassurant à se trouver dans cet endroit en pleine journée. De rassurant et de jouissif. Comme lorsque, enfant, un rhume l'autorisait à passer un jour d'école à la maison, à s'y livrer à des activités normalement réservées au week-end ou au mercredi après-midi. Le monde s'arrêtait à la porte de cet établissement. Le temps, aussi. La lumière artificielle, bleutée, feutrée, était la même à 15 heures ou à 23 heures. D'ailleurs, il n'avait pas la moindre idée de l'heure.

Le 8, ça s'appelait. Comme dans 8ᵉ arrondissement.
Ç'avait été un bar branché, quelques années plus tôt, le
premier où il était sorti à Paris – pour cette seule raison,
il y était resté attaché. Il était à Sciences Po à l'époque,
Sciences Po Bordeaux. Il faisait régulièrement le voyage
pour voir sa copine du moment, Marion D., qui avait
un poste important chez Safran et avait fait de lui son
toy boy. Marion D. avait 36 ans et, à lui qui venait d'en
avoir 20, elle paraissait avoir déjà vécu. Elle avait un
appartement comme il n'en avait jamais vu, à la Butte-
aux-Cailles, un duplex avec un mur tout en verre, côté
jardin. Elle avait fait une bonne partie de son éducation
sentimentale, sociale. « Il faut que tu réseautes », disait-
elle, comme elle lui aurait conseillé de se mettre à courir.
Et aussi : « Il faut faire comme le singe : il voit la banane,
il la prend. » Elle l'invitait à déjeuner dans des restaurants
très chers dans les jardins du Palais-Royal, et à dîner chez
Georges, en haut du centre Pompidou, à l'époque où
c'était encore chic. Elle l'avait emmené au Prix de Diane,
où ils avaient bu du champagne dès le matin, et à l'anniversaire d'un producteur de Canal + dans son château de
la vallée de Chevreuse, où Julien s'était fait draguer par
Frédéric Mitterrand. Elle lui avait fait découvrir les puces
du marché de Saint-Ouen, un dimanche de décembre, et
les parfums de Serge Lutens. Elle était fière qu'il prépare
le concours d'entrée de l'ENA et rassurée qu'il y échoue.

Elle était libre, indépendante, insaisissable. Elle buvait du vin dans des verres immenses. Elle fumait une cigarette par jour, le soir, en faisant le bilan de sa journée devant sa baie vitrée. Elle travaillait beaucoup, vraiment beaucoup – elle disait qu'on a la vie qu'on se choisit. Elle l'avait appelé, quand il l'avait quittée, pour lui dire qu'elle était sur le pont Alexandre-III et hésitait à sauter...

« Ce siège est libre ? »

Un type se tenait sur sa droite. Un type qui aurait été plus à sa place à la terrasse d'un café de Puerto Banús : bronzage excessif, dents très blanches, blazer bleu marine orné d'un écusson. L'œil vif, mutin, et une belle chevelure poivre et sel, exceptionnellement dense pour son âge.

Julien l'avait déjà vu, probablement au ministère. Le temps que ses souvenirs se précisent, l'autre avait pris place sur le tabouret à sa droite.

« Valère Beaumont, dit-il en tendant la main.

– Julien Fontana.

– Vous êtes à la direction d'Afrique, non ?

– Exact. Vous, par contre, j'ai du mal à...

– Moi, je ne suis plus nulle part. Je suis à la retraite. »

Il se souvenait maintenant. Il l'avait vu plusieurs fois Chez Françoise, le restaurant sous l'esplanade des Invalides, l'autre cantine du Quai. L'homme bronzé y déjeunait toujours à la même table, près de la verrière, accompagné le plus souvent d'une seule personne.

Il ne comprenait pas trop ce qu'il faisait là (il ne l'avait pas remarqué en arrivant), mais il était trop mal, trop ivre et trop fatigué pour poser la question.

« Donc, nous sommes mardi, dit Beaumont, il n'est pas 17 heures et vous vous trouvez dans un bar de la rue Marbeuf. Dois-je en déduire que ça ne va pas fort ?

– Je vous ferais remarquer que vous y êtes aussi.

– Ah, mais je suis désespéré, cher ami, je ne m'en cache pas. De plus, on ne m'attend nulle part... Alors, qu'est-ce qui ne va pas ? »

La perspective de s'épancher n'était pas pour lui déplaire. S'ouvrir de ses problèmes dans l'espoir de s'en délester un peu. L'autre avait l'air intelligent et, en plus, il était de la maison : il comprendrait parfaitement.

Julien finit son verre et le posa sur le bar plus brusquement qu'il ne l'aurait voulu.

« Je viens d'apprendre où on m'envoie.

– Vous voulez dire...

– En poste.

– Ah. Seulement maintenant ?

– Ce matin.

– C'est très tard, pour une affectation.

– Je sais, c'est bizarre. Tout est bizarre dans cette histoire.

– Vous êtes conseiller, non ? »

Julien acquiesça.

«Vous avez donc vu Smith-Déranger, cette vipère... Elle vous a raconté comment elle est restée enfermée dans une salle des archives pendant un week-end de trois jours?

– Non, on avait d'autres choses à nous dire.

– Les archives diplomatiques se trouvaient encore au Quai d'Orsay à l'époque. Elle s'est bêtement laissé enfermer dans la salle où étaient conservés les traités, un endroit sécurisé et maintenu à une température de 10 °C. C'était bien avant les téléphones portables. Quand on l'a découverte, le mardi matin, elle était dans les vapes. Ils l'ont décorée à la suite de ça. Ils lui ont donné je ne sais plus quelle médaille...»

L'anecdote n'eut aucun effet sur Fontana.

«Ils vous envoient où? demanda l'autre.

– Ça me gêne...

– De me le dire? Vous n'avez rien à craindre, je suis une tombe, vous savez. De toute façon, je ne vois plus personne du ministère. Ceux que je fréquentais sont morts. Et les deux ou trois encore en vie ne retournent plus mes appels. Les rares fois où je me rends au Quai d'Orsay, c'est pour faire renouveler ma carte de cantine, comme cet après-midi.»

Julien leva la tête d'un coup, à la manière d'un suricate.

«C'est là que vous m'avez vu! Au ministère. Vous m'avez vu là-bas et vous m'avez suivi jusqu'ici!»

Beaumont regarda droit devant lui. On le sentait à la fois embêté et ravi d'avoir été percé à jour.

« Vous aviez l'air tellement triste. Vous vous seriez vu, franchement, vous faisiez peine à voir.

– Ça vous arrive souvent de suivre les gens qui n'ont pas l'air d'aller bien ?

– Assez, oui... Je vous l'ai dit, je ne sais plus comment m'occuper. Rendez-vous compte, la seule chose que j'avais à faire aujourd'hui, en plus d'aller renouveler cette foutue carte, c'était de poster une réponse à un jeu-concours pour gagner un porte-clés... Il ne faut pas m'en vouloir.

– Je trouve ça hyper bizarre.

– D'accord, mais c'est plutôt agréable, cette petite conversation. C'est tout de même mieux que de ruminer tout seul dans son coin, non ? »

Fontana s'abstint de répondre.

« Bon, alors, ils vous envoient où qui vous rende aussi malheureux ?

– À Dacca. »

Suivit un silence pire que tous les commentaires.

« Vous n'êtes pas énarque, vous ? » demanda Beaumont.

Il avait assez bien résumé le problème.

« Non, répondit Julien, mais je ne comprends pas. Je devais aller à New York, à la RP. On m'a proposé un poste en avril, aux affaires humanitaires... »

Il s'arrêta, découragé.

L'autre, qui ne l'avait pas écouté, parut avoir une idée.

«Qu'est-ce que vous avez prévu, ce soir?

– Pardon?

– Est-ce que vous avez prévu quelque chose ce soir?»

La réponse tombait sous le sens. Vu l'état dans lequel il se trouvait, Julien pouvait difficilement avoir prévu quoi que ce soit.

«Ah, non, mais je...»

Brillante repartie.

«Je reviens, ne bougez pas!» lança le vieux beau avant de disparaître.

Fontana croisa les bras sur le comptoir, y posa la tête et se retrouva aussitôt dans une chambre froide qui n'était autre que l'intérieur de l'armoire forte dans le bureau de Smith-Déranger. Elle était là, d'ailleurs, de l'autre côté de la porte. Elle lui expliquait comment sortir de là, mais à voix trop basse pour qu'il l'entende. À un moment, elle s'excita:

«Réveillez-vous!»

Beaumont lui secouait l'épaule.

«Allez!»

Julien releva la tête et cligna plusieurs fois des yeux comme pour vérifier qu'ils fonctionnaient.

«Je nous ai obtenu un rendez-vous avec quelqu'un de très important.

– D'accord, mais là, ça va pas être possible.

– Ça concerne votre affectation, imbécile ! Dacca. Vous n'avez pas envie que les choses s'arrangent ? »

Julien quitta son tabouret, maladroitement. Il loupa le repose-pieds, manqua de tomber et se retint au bar in extremis. L'autre l'aida à se relever et à enfiler sa veste.

« Hors de question que vous arriviez dans cet état. Allez vous rafraîchir aux toilettes. Passez la tête sous l'eau, refaites votre nœud de cravate... Vous avez un peigne ?

– Non, je me coiffe avec les mains. »

Beaumont plongea la sienne dans la poche de sa veste et en sortit un petit peigne noir. Julien s'en empara et le contempla comme s'il s'agissait des clés d'une Maserati.

L'autre épousseta ses épaules puis fit un pas en arrière pour le voir en entier.

« Qu'est-ce que vous êtes beau, c'est ahurissant. En général, les gens très beaux le sont moins au bout de dix minutes. Chez vous, l'effet est permanent. »

Il désigna les toilettes.

« Allez, allez ! » dit-il en tapant dans les mains comme un régisseur dans les coulisses du Moulin Rouge.

23

Ils avaient acheté des cerises au Palais du fruit, regardé les cartes postales devant Stohrer, et ce début de soirée avait ressemblé au bonheur. Marie-Ange éclatant de rire à une histoire grivoise, Capuche tentant d'accrocher une paire de burlats à son oreille, les Parisiens bronzés, détendus...

Puis ils s'étaient installés à la terrasse d'un café, une ambulance s'était frayé un chemin dans la rue des Petits-Carreaux et la réalité les avait gentiment rattrapés.

Ils n'étaient pas en villégiature à Uzès, ils se trouvaient à Paris, dans le quartier de Montorgueil, le ciel se chargeait de nuages mauves et ils avaient pour projet d'aller surprendre Philippe Rigaud dans les bras de sa maîtresse.

«Je crois que c'est mieux si j'y vais seule.

– Ah, OK.

– Ta présence ne ferait que compliquer les choses.

– Je comprends.»

Ils se séparèrent au début de la rue Saint-Sauveur, un peu après 20 heures. Marie-Ange fit quelques pas et se retourna. Capuche n'avait pas bougé. Elle eut l'intuition désagréable qu'elle ne le reverrait plus et pensa à toutes les choses qu'elle ne lui avait pas dites. Des choses qui, sur le coup, lui parurent plus importantes que ces histoires d'adultère. Ce garçon immobile dans le flot des passants, ce petit bout d'homme qu'elle connaissait si mal et qui lui faisait tellement de bien... Elle pensa rebrousser chemin mais elle n'en fit rien et, écoutant sa raison plutôt que son cœur, remonta la rue d'un pas raide.

En repérant les initiales «P.R.» en bas de l'interphone, sans trop comprendre pourquoi, elle fut prise d'une envie de pleurer. «Allons, ma fille, disait grand-mère Gasparde, on se tient fiers et droits chez les Vimont de la Bouillerie.» Elle respira un grand coup et pressa nerveusement la touche.

Suivirent quelques secondes de silence total. La rue tout entière semblait guetter la réponse de Philippe.

Un «oui» d'une lassitude extrême finit par se faire entendre.

Marie-Ange se pencha vers le haut-parleur.

«C'est moi.»

Pas de réponse.

« J'ai besoin de te voir, reprit-elle, ouvre-moi. »

Elle ne voulait pas lui laisser le temps de s'organiser.

« Mais... commença-t-il.

– Philippe, ouvre cette porte, merde ! »

Elle avait retrouvé les intonations de leur fameuse engueulade de Nicosie. C'est bien simple, c'était probablement la première fois qu'elle employait le mot « merde » depuis 1992. Détail qui ne laissa pas Philippe insensible.

« Au cinquième, annonça-t-il d'une voix morne, la porte en face de l'escalier, paillasson rayé. »

Il s'arrêta avant de reprendre :

« L'ascenseur s'arrête au quatrième, il faut monter un étage à pied. »

L'ascenseur ne pouvait transporter qu'une personne à la fois. On s'y tenait comme dans un cercueil vertical. Marie-Ange ne se souvenait pas qu'il était si petit, ni si lent. D'ailleurs, elle avait oublié qu'il y avait un ascenseur.

Au quatrième étage, elle sortit de la cabine et prêta l'oreille un instant. Un sifflement de cocotte-minute, quelque part. Des pleurs d'enfant, ailleurs. Pas de claquement de porte, de chuchotements ni de bruits de course : personne a priori ne tentait de fuir précipitamment.

Un tapis d'escalier assourdit ses pas jusqu'au cinquième. À l'instant où elle posa le pied sur le paillasson rayé, deux tours de verrou retentirent, la porte s'ouvrit et son mari montra son visage d'homme fourbu.

« Qu'est-ce que... », commença-t-il.

Elle le fit reculer en poussant la porte et, sans rien dire, entra dans la pièce.

L'aménagement n'avait rien à voir avec ce qu'il était quelques années plus tôt, Capuche avait raison. Des gravures étaient apparues sur les murs – des cartes d'état-major superbes, dans des cadres dorés. La tapisserie avait laissé place à un meuble-bibliothèque en bois sombre couvrant intégralement la cloison derrière le bureau. La méridienne était toujours là (Marie-Ange avait oublié la couleur de son revêtement en velours, un vert olive très agréable). Trois piles de livres l'encombraient, de gros volumes reliés de cuir rouge qui n'avaient pu être rangés ailleurs, et Philippe y avait aussi jeté sa veste et sa cravate.

Sur le bureau, son ordinateur portable, ouvert et allumé, affichait le célèbre fond d'écran Yosemite, plusieurs dossiers bleu pâle et une dizaine d'icônes de documents Word. À gauche de l'appareil, un tas de feuilles blanches annotées de l'écriture à la fois sérieuse et tourmentée du diplomate et un exemplaire de *Détours en France* spécial Bourgogne d'où s'échappaient des languettes de Post-it jaunes. Dans un coin, une superbe lampe de bibliothèque à l'abat-jour vert. Dans l'autre, un pot contenant toutes sortes de stylos, une loupe au manche en acajou...

Son mari était en train de travailler, et non de batifoler avec qui que ce soit, ça ne faisait aucun doute. Même l'odeur de la pièce en témoignait : c'était celle, réconfortante et un chouïa écœurante, d'un lieu qu'un homme de son âge occupait depuis un moment.

« Mais... pourquoi ? » bredouilla-t-il.

Oui, pourquoi ? Les séances d'écriture rue Saint-Sauveur étaient précieuses, elles offraient un répit mérité à un homme exténué que la vie prenait un malin plaisir à malmener depuis quarante-huit heures. De quel droit Marie-Ange débarquait-elle, elle qui pouvait rester au lit le matin, passer ses journées à boire du thé glacé ou essayer des robes ?

Elle comprit à quel point elle faisait fausse route depuis dimanche. *Assieds-toi sur ma bouche* avait été envoyé à son mari par erreur, ou pour plaisanter. Oui, voilà, une blague de potaches entre diplomates. Drôle parce que obscène, choquante. Une femme saine d'esprit ne prendrait jamais le risque d'écrire une chose pareille à un homme marié. Capuche et elle s'étaient complètement fourvoyés en y répondant comme ils l'avaient fait.

« Marie-Ange, tu peux m'expliquer ce qui se passe ? »

Contrainte de fournir une réponse qu'elle n'avait pas préparée, elle lui dit la première chose qui lui vint à l'esprit :

« Ton téléphone... je l'ai retrouvé... cet après-midi, dans la boîte aux lettres. Quelqu'un l'a déposé.

– Hein ? Mais... qui l'a déposé ?

– La compagnie de taxis, j'imagine. Après ton appel. »

L'émotion poussa Philippe à s'asseoir.

« Tu es sûre que c'est le mien ?

– Oui, avec la photo de Michèle et Amy en fond d'écran.

– Mais, il fonctionne ? Il n'est pas abîmé ?

– Tout à l'air normal... Je ne pouvais pas t'appeler pour te le dire puisqu'il n'y a pas de téléphone ici. Alors j'ai sauté dans un taxi et je suis venue. »

Son mensonge se tenait.

« Tu l'as avec toi ? demanda son mari.

– Non, je n'ai pas voulu prendre ce risque. Je l'ai rangé à la maison, dans la boîte à bijoux de grand-mère Gasparde.

– Tu as bien fait... Quel soulagement ! »

Il contempla le vide devant lui pendant quelques secondes. On aurait dit qu'il se remettait d'une lourde opération chirurgicale.

« J'ai vu que tu as acheté une guitare. »

Son épouse se gratta nerveusement la nuque.

« C'est un ukulélé. »

Elle l'avait déposé dans le vestibule, rue de Bellechasse, sur la chaise en plastique. Philippe l'avait trouvé à son retour du ministère, avant de repartir rue Saint-Sauveur.

« Tu comptes te mettre au ukulélé ? »

Marie-Ange, qui venait de passer deux jours à lui raconter n'importe quoi, résolut de ne plus s'éloigner de la vérité.

« Non. Je l'ai acheté pour aider un jeune type que j'ai rencontré hier. Un musicien dans le besoin. »

Philippe la visualisa faisant affaire avec un SDF sur un trottoir et n'insista pas. L'explication lui suffisait.

« C'est tout de même incroyable, cette histoire, enchaîna-t-il.

– De ?

– De téléphone. Perdu et retrouvé. »

Marie-Ange posa une main compatissante sur son épaule.

« Incroyable, oui. C'est le mot. »

24

« **9,** rue Mallet-Stevens, dans le 16ᵉ », indiqua Valère au taxi.

Julien se dit qu'ils allaient voir quelqu'un d'important et se redressa sur la banquette. Au même moment, la pluie se mit à tomber.

Le trajet débuta au son de *New York avec toi* de Téléphone et se termina sur le sketch *L'Addition* de Muriel Robin sans qu'aucun mot n'ait été échangé dans la voiture.

Le taxi commença à ralentir avant qu'ils arrivent à destination.

« Y s'passe un truc », annonça le chauffeur en coupant la chique à l'humoriste.

Beaumont regarda par la vitre de son côté et vit un garde du corps (balaise, costume sombre, oreillette) qui faisait le guet au coin de la rue. Un peu plus loin attendaient une berline et un monospace, tous deux noirs, aux vitres teintées.

Julien se colla contre son voisin de droite et observa la scène.

« Qu'est-ce qui se passe ?

– Je l'ignore, répondit le vieux beau en fixant du regard le gorille à l'oreillette. Ce charmant monsieur est un SPHP, c'est tout ce que je peux dire. »

Service de protection des hautes personnalités.

« Bon, je fais quoi ? demanda le chauffeur en avisant ses clients dans le rétroviseur.

– À mon avis… », commença Beaumont, avant de se taire.

La porte en verre au n° 9 venait de s'ouvrir. Des hommes en sortirent. Un garde du corps, le même genre que celui du coin de la rue, puis un type très mince qui se mit à courir vers le monospace, et enfin un homme qui ressemblait furieusement au président de la République. Et pour cause, *c'était* le président de la République.

Il avait un portable à la main et marchait d'un pas plus alerte qu'on aurait imaginé. L'expression de son visage était neutre, même s'il semblait concentré. L'homme qui avait couru vers le monospace le rejoignit, ouvrit un grand parapluie noir au-dessus de sa tête et l'escorta jusqu'à la berline. Le convoi attendit un peu avant de s'élancer sans sirène ni gyrophare…

En quelques secondes, tout redevint normal.

« Mais, c'était…, dit Julien, le regard braqué sur l'entrée de l'immeuble.

– J'ai bien l'impression, répondit Beaumont.

– Oui, oui, c'était lui ! s'excita le taxi. J'suis con, j'aurais dû prendre une photo ! »

Julien se tourna vers Valère.

« Vous m'emmenez où, exactement ?

– Chez quelqu'un d'important, je vous l'ai dit.

– D'accord, mais…

– Chez Mme Sylvie. »

Mme Sylvie était une femme minuscule, très blonde, très bronzée, très maquillée. Elle avait des yeux turquoise dont elle accentuait l'effet en les soulignant d'un trait de la même couleur, et des joues creuses, vraiment creuses, à la Géraldine Chaplin. Elle était si menue qu'en la regardant on se demandait comment un organisme entier pouvait tenir dans un si petit corps. Elle portait des talons spectaculaires qui échouaient à la faire paraître plus grande et sur lesquels elle semblait en déséquilibre, comme si elle devait encore s'y faire. Son jean, incroyablement serré, lui faisait des jambes de caille.

Son appartement, contrairement à elle, ressemblait à mille autres. Pas luxueux mais loin d'être un taudis, avec quelques éléments sortant de l'ordinaire. Un miroir monumental qui aurait été plus à sa place dans un hall de mairie. Un gros buffet dans le style des années 1950, une splendeur qui semblait être arrivée de chez l'antiquaire le matin même. Une collection d'angelots en céramique blancs, assez jolis.

Une vague odeur de nourriture flottait dans l'air et la télé était allumée dans une pièce voisine, comme dans la plupart des intérieurs en France à la même heure.

Elle recevait dans une salle remarquablement vide, autour d'une grande table recouverte d'une nappe en plastique transparent qu'on ne devait dresser que pour les occasions. Le président avait vraisemblablement été accueilli de la même manière, s'était assis sur la chaise dans laquelle Julien était invité à prendre place...

Valère sortit de sa poche une liasse de billets qu'il avait préparée. Mme Sylvie les accepta sans rien dire, compta l'argent à mi-voix comme si elle avait été seule et s'installa au bout de la table. Là, elle attrapa un jeu de tarot et commença à le battre en dévisageant Julien.

« Purée, il est vraiment beau. »

Elle parlait de lui. Ce commentaire à haute voix le fit sourire mais il retrouva rapidement son sérieux.

« Quelle est votre question ? lâcha-t-elle d'une voix rauque, pas désagréable.

– Il lui faut une question », confirma Valère, assis dans le fond de la pièce.

Julien pensa immédiatement à Dacca.

« Le problème que je rencontre actuellement, dit-il, plus prudent que s'il passait un grand oral, comment peut-il se solutionner ?

– C'est un problème professionnel ? »

Il fit oui de la tête.

Mme Sylvie lui tendit le paquet de cartes.

« Coupez, n'importe où. »

Il s'exécuta.

« Vous avez les yeux gris ou bleus ? demanda-t-elle en récupérant le paquet.

– Ça dépend de plusieurs facteurs, répondit-il rapidement, de peur qu'elle se déconcentre. Lumière du jour, ensoleillement. »

Elle ne fit pas de commentaire, mélangea les cartes et lui tendit à nouveau le paquet.

« Allez-y, coupez, n'importe où. »

Fontana s'exécuta. L'autre prit les deux paquets, les étala devant elle sur deux lignes et retourna les trois premières cartes de la rangée du haut.

« Dites donc, c'est la fête dans votre slip ! »

Julien éclata de rire.

« Ça y va, en ce moment, continua Mme Sylvie. Vous êtes amoureux, non ?

– Absolument.

– Elle a de la chance, la môme.

– C'est incroyable.

– Quoi?

– Vous. Votre don. »

Mme Sylvie sourit – elle avait les dents du bonheur.

« Je vois tout, méfiez-vous... »

Elle redevint grave d'un coup et resta figée quelques secondes avant de se décider à dévoiler une quatrième carte. Là, elle soupira.

« Ça m'embête quand même, cette tour. »

Julien sentit ses boyaux se tordre.

Elle retourna trois cartes de la rangée du bas et posa son index sur la première.

« Une vie de déplacements, de voyages... De l'hostilité en ce moment... Vous ne parvenez pas à vous détendre... comme si le destin jouait avec vos nerfs... C'est ça, le fou... Bon, c'est pas méchant... »

Elle se mit à tapoter sur la troisième carte de la série, une lune.

« Toi, ma fille, tu ne vas pas t'en tirer comme ça. »

Elle en retourna une quatrième, que Julien ne parvint pas à identifier.

« Ah, je préfère... dit-elle. C'était quoi, votre question ? demanda-t-elle sans quitter les cartes des yeux.

– Euh, comment mon problème peut se solutionner.

– Ah, oui.»

Elle contempla son jeu en pianotant sur la table avec ses longs ongles de caissière américaine. Son expression était parfaitement neutre.

«Les choses vont aller dans votre sens. Très vite. Vous n'aurez pas grand-chose à faire. On vous protège.»

Elle posa son regard sur Julien qui, comprenant que la séance était finie, se leva brusquement de sa chaise.

«Je peux vous embrasser?

– Si vous voulez», répondit-elle en se dressant à son tour.

Il l'attrapa par les épaules et l'enlaça, éperdu de reconnaissance.

«C'est pas moi, bredouilla-t-elle, remuée par le plaisir que lui procurait cette accolade. C'est les cartes!»

Valère, qui observait la scène, se demanda si elle n'allait pas dégénérer, mais non, Julien finit par lâcher la cartomancienne.

Elle raccompagna les deux hommes à la porte. Fontana, qui était à peu près sûr que le président l'avait questionnée sur ses chances de réélection, mourait d'envie de connaître sa réponse, mais il savait qu'elle ne dirait rien. Beaumont, lui, se réjouissait de la tournure qu'avait prise la soirée. Alors qu'il suivait les deux autres, il aperçut, dans une autre pièce de l'appartement, un petit garçon assis par terre, éclairé par un écran de télévision, et sourit en imaginant qu'il avait dû se montrer aussi imperturbable pendant la visite présidentielle.

Ce n'est que bien plus tard, une fois couché, que Julien eut cette pensée extrêmement déprimante : et si la prédiction de Mme Sylvie ne se référait pas à Dacca mais à son autre problème du moment, *Assieds-toi sur ma bouche* ?

25

L a dernière fois qu'elle avait vérifié, c'était en sortant du restaurant chinois. Il restait 4 % de batterie au téléphone de Philippe. À 0 % il s'éteindrait et elle ne pourrait pas le rallumer car, même si elle parvenait à le recharger, il lui faudrait entrer un code de déverrouillage qu'elle n'avait pas.

Or elle avait besoin qu'il fonctionne encore, ce téléphone, pour pouvoir y effacer les messages dont son mari devait absolument ignorer l'existence. D'abord parce qu'en les lisant il lui serait facile de comprendre que sa femme était derrière les deux réponses à *Assieds-toi sur ma bouche*. Et puis, inutile de lui compliquer l'existence alors qu'il avait besoin de rassembler ses forces et ses esprits pour son rendez-vous du lendemain avec le secrétaire général.

Dehors, c'était le déluge. Il tombait des cordes, le tonnerre grondait, le ciel était presque noir. Évidemment, elle n'avait pas de parapluie. Elle remonta la rue Saint-Sauveur au pas de course en direction de Montorgueil et, quand elle se jugea suffisamment loin du n° 49, s'abrita sous un porche. Quelques secondes sous la pluie avaient suffi à la tremper des pieds à la tête.

Elle récupéra le téléphone au fond de son sac, essuya l'écran sur son chemisier mouillé et y lut les informations. Philippe avait reçu des e-mails et plusieurs coups de fil, mais ce n'était pas ça qui l'intéressait... 0 % ! Il restait 0 % de batterie ! Comment l'appareil pouvait-il encore fonctionner sans batterie ?

Sans perdre de temps, elle effleura l'icône des messages. Plusieurs attendaient d'être lus, qu'elle fit défiler pour trouver la conversation avec J. Fontana. Une mise en garde apparut alors sur l'écran : *Batterie faible. Veuillez brancher l'appareil sur une source électrique.* Son rythme cardiaque s'accéléra, sa respiration devint courte. Sans réfléchir, elle toucha « OK » et se retrouva dans le fameux échange qui commençait par *Vendredi soir, pour moi, ça marche.* Elle sélectionna les trois derniers messages de la série puis la petite poubelle dans le coin droit de l'écran. Le portable lui indiqua que trois messages allaient être effacés et qu'elle devait le confirmer, ce qu'elle fit en effleurant « supprimer ». La conversation disparut et,

aussitôt, le portable se mit à biper quatre fois : il s'étei-
gnait. Très vite, il n'afficha plus qu'un écran gris foncé.
Black-out.

Marie-Ange releva la tête. Il n'existait plus de trace de
cette affaire qui l'occupait depuis deux jours. Comme si
Assieds-toi sur ma bouche et ce qui avait suivi ne s'étaient
produits que dans son imagination. Elle aurait dû s'en
réjouir et, pourtant, intimement, elle était convaincue
qu'elle se trompait encore.

La pluie avait presque cessé. Elle passa la main sur son
front pour en chasser les mèches mouillées et regarda
droit devant elle, en direction de la rue des Petits-
Carreaux, où elle avait laissé Capuche, trente minutes
plus tôt... D'ailleurs, il était là (elle plissa les yeux pour
mieux voir)... Oui, c'était bien lui, assis à une terrasse
de café, à une vingtaine de mètres de l'endroit où elle se
tenait. Il avait dû se laisser surprendre par la pluie et se
réfugier sous ce store ouvert...

Il souriait. Il souriait en parlant à une fille assise à une
table voisine. Une fille de son âge à l'abondante chevelure
brune, dont la tunique légère, mouillée, collait à la peau.
Recroquevillée sur sa chaise, elle avait une main posée sur
un gros chien noir, planqué sous la table. De l'autre, elle
tenait une cigarette. Capuche fumait, lui aussi... Voilà qu'il
lui montrait son bras. Il devait parler de ses tatouages,
du fil barbelé ou du poing serré, juste au-dessus...

Marie-Ange avala sa salive. Ces deux jeunes gens se désiraient, ça sautait aux yeux, même à vingt mètres de distance. La suite de l'histoire ne faisait aucun doute. Bouche contre bouche, peau contre peau, gloussements et gémissements dans les odeurs de cigarette et de transpiration...

La violence de sa réaction la surprit elle-même. Elle se sentait trahie, trompée, effacée, bien plus que lorsqu'elle avait découvert *Assieds-toi sur ma bouche* dans le téléphone de Philippe. Cette fois, la situation agissait sur elle physiquement : elle ressentait une douleur à l'endroit du cœur.

Évidemment, la môme exhalait la sexualité. Elle portait son vagin sur sa figure. C'était irrésistible. Des sourires, quelques phrases bien tournées, une ou deux bières et, à la clé, le plaisir. Avec Marie-Ange, les choses étaient plus lentes, plus subtiles. Et, surtout, le plaisir physique n'était pas au programme. Enfin, pas nécessairement.

Une odeur atroce de décomposition emplit l'atmosphère. Un clochard déboucha dans la rue Saint-Sauveur, titubant d'ivresse et noyé sous des couches de vêtements d'hiver crasseux, déchirés. Très vite, la puanteur devint insupportable. Marie-Ange s'échappa rue des Petits-Carreaux, de l'autre côté du café où se trouvait Capuche.

L'horrible clochard eut juste le temps de relever la tête et de l'interpeller :

« Eh, la bourge, retourne au Bourget ! »

Mercredi

26

L a nouvelle fit l'effet d'une bombe qui, en ce début juillet, dynamita un cycle d'info particulièrement mollasson : la canicule presque terminée, des championnats du monde de gymnastique sans Français, des incendies pas vraiment graves dans l'Hérault. Pour les rédactions, c'était une bénédiction, d'autant que l'histoire ne faisait que commencer, on sentait bien son potentiel feuilletonesque. Et puis elle présentait l'avantage de captiver (chouette, encore une histoire de slip !) sans être noire ni déprimante. Autrement dit, idéale pour la période estivale où, après tout, chacun a bien mérité de se détendre un peu.

L'affaire Jean-Marc Auzannet.

Le secrétaire d'État aux Affaires européennes, un grand type maigre avec une tête de premier de la classe à lunettes, s'était rendu dans le dernier cinéma porno parisien digne de ce nom, le Beverley, près des Grands Boulevards. Jusque-là, rien de scandaleux. C'était un peu dégoûtant, considérant le fait que cet homme était marié et père de trois enfants, mais la France est un pays libre, on a le droit de tuer le temps un lundi après-midi en assistant à la séance de 15 heures de *Queue de béton* (film projeté ce jour-là).

Le souci, c'est que Jean-Marc Auzannet s'y était fait arrêter et embarquer par la police. Une rixe avait éclaté dans les toilettes de l'établissement, le patron avait dû interrompre la projection et prévenir la police, qui était arrivée sur les lieux à 16 h 10, selon le procès-verbal du brigadier Kevin Poulard. Quatre hommes âgés de 54 à 83 ans avaient été interpellés, dont Jean-Marc Auzannet qui avait d'abord refusé de dévoiler son identité avant de tenter de soudoyer les agents qui le conduisaient au commissariat du 2ᵉ arrondissement pour qu'ils le laissent partir.

Ça sentait mauvais, aurait dit Capuche. Et le rapport de l'agent Poulard fourmillait de détails plus accablants encore pour le secrétaire d'État. Comme le fait qu'il avait lui-même été à l'origine de la rixe en offrant de prodiguer une fellation à un certain Alfonso Delgado, client de l'établissement qu'il avait suivi aux toilettes dans ce but. « Ça faisait vingt minutes qu'il me tournait autour,

je sentais bien qu'il avait une idée derrière la tête»,
avait déclaré M. Delgado, ancien maçon à la retraite.
Sa réaction peu coopérante avait déclenché l'altercation
à laquelle deux autres personnes qui se trouvaient aux
toilettes au même moment avaient rapidement pris part.
On comprend qu'Auzannet ait tenté de graisser la
patte aux policiers. On le comprendra tout à fait quand on
saura dans quel accoutrement il se trouvait au moment de
son arrestation. Dixit le brigadier Poulard : « M. Auzannet
avait une chemise ouverte tout du long et une cravate
dénouée, mais pas de pantalon. En bas, il portait juste
une petite culotte à fleurs, et il était pieds nus.» Il était
arrivé au Beverley habillé normalement et s'était dévêtu
dans les toilettes. Veste, pantalon, chaussures de ville
et chaussettes s'étaient retrouvés dans un grand sac de
sport qui lui servait aussi à transporter une courgette,
une fiole de poppers, ainsi qu'un exemplaire de la revue
Hot Vidéo «spécial gang bang».

Mais le pire, ce n'était pas ni la courgette, ni la fellation proposée à un homme de 76 ans, ni la tentative
de corruption de fonctionnaires. Le pire, c'était que, ce
lundi-là, Auzannet s'était rendu au Beverley alors qu'il
devait participer à une réunion au Conseil des affaires
générales de Bruxelles, un séminaire ayant pour thème
«L'harmonisation des politiques d'aides publiques
à la petite enfance au sein de l'Union européenne».

Autrement dit, il avait préféré voir *Queue de béton* plutôt que de plancher sur le sort de la frange la plus vulnérable de la population européenne. Ça faisait franchement tache, surtout de la part d'un homme qui avait défilé en famille contre le mariage pour tous au cri de « Un papa, une maman ! »...

Remis en liberté quelques heures après l'incident, il se réfugia dans sa propriété franc-comtoise, où il attendait de savoir à combien s'élevait l'amende qu'il aurait à payer pour faits d'exhibition sexuelle, et s'il ferait ou non l'objet d'une injonction de soins.

L'affaire fut révélée par *Le Canard enchaîné* le mercredi suivant[1], mais l'exécutif en avait eu connaissance dès lundi soir. De fait, au Quai d'Orsay, on s'était immédiatement mis à réfléchir, en étroite relation avec Matignon, à la meilleure façon de limiter les dégâts. Tout alla très vite. Mardi, à midi, le plan était bouclé dans ses grandes lignes, il ne restait qu'à en peaufiner les détails. Un plan qui allait changer la vie de Philippe et surtout celle de Julien, qui aurait été bien inspiré d'aller déposer un ex-voto devant la façade défraîchie du Beverley.

---

1. Sous le titre « Et Auzannet osa ». *Libération*, de son côté, avait préféré « Ceci n'est pas une pipe » en référence à l'explication fournie par Auzannet pendant sa garde à vue : sa proposition à M. Delgado n'avait qu'un but sociologique, afin de « comprendre ce qui pousse certains hommes à participer à de tels actes ».

Auzannet serait débarqué et remplacé par son contraire : une femme, avenante, de couleur, plutôt de gauche, qui semblait aussi bien dans sa peau que dans son couple. Clémentine Miquette-Ledoyen, jusque-là conseillère en énergies renouvelables auprès du Premier ministre, à qui une autre femme succéderait à Matignon : Brigitte Buisson, consul général de France à Tunis, grande spécialiste des gaffes – d'où son surnom : « l'Embarrassadrice ». Le ministre des Affaires étrangères cherchait à s'en séparer depuis qu'à un dîner d'État en présence du président tunisien elle avait confondu Bourguiba et Ben Barka. À sa place, on envoya en Tunisie un jeune diplomate hyper brillant dont on voulait s'attacher les bonnes grâces, Ludovic di Mondo. Ce dernier était jusqu'alors directeur adjoint de NUOI (la direction des Nations unies et des organisations internationales) et son remplacement posait un problème : le poste avait plus ou moins été promis à Bernard Legros, numéro deux de notre ambassade au Mozambique, une bonne poire au bord du burn out qui, après trois postes particulièrement éprouvants (Kiev, Bakou, Maputo), avait bien mérité de rentrer se reposer à Paris. On avait cependant intérêt à ce qu'il fasse les quatre années annoncées en Afrique pour la simple raison qu'on ne lui trouverait pas facilement de remplaçant.

Il fallait donc dégoter quelqu'un qui accepte de faire un intérim à NUOI : y servir deux ans, pas plus, en tant que directeur adjoint. Mission quasiment impossible, compte tenu de l'importance du poste. Ceux qui étaient en mesure de l'occuper accepteraient difficilement de le faire pour une période aussi courte, sans compter que cette prise de fonctions les obligerait à interrompre leur affectation en cours. À moins de demander à un agent en fin de carrière. On se mit à lister ceux qui, parmi les diplomates pas trop mauvais, approchaient de la retraite. Un nom émergea très vite, celui de Rigaud. Il aurait 65 ans le 29 mai 2018 et occupait un poste similaire en prestige, celui d'inspecteur général adjoint. Et puis finir sur cette affectation bizarre ne jurerait pas dans sa carrière en dents de scie, qui manquait franchement de cohérence. Restait à le convaincre d'accepter. «J'en fais mon affaire», avait dit le secrétaire général, qui le connaissait bien.

27

S' il avait su, il aurait mis ses chaussettes rouges. Orange, même. Seulement, il s'était réveillé en retard et préparé en un temps record, sans s'intéresser aux news.

Pauline, elle, était au courant. Et ça lui réussissait. Assise en face de lui au Café des Ministères, elle rayonnait. On aurait dit qu'elle rentrait de vacances. D'ailleurs, tout le monde paraissait plus souriant ce matin-là. Quand Julien était arrivé, le patron du café, d'ordinaire si maussade, écrivait son menu sur l'ardoise en sifflotant *Les Rois du monde*. Même les présentateurs de BFM avaient les yeux moins gonflés de fatigue que d'habitude. Elle faisait du bien, cette histoire de petite culotte et de queue de béton, cette histoire grivoise et drôle, sans conséquences pour le pays, elle rendait l'air plus léger.

M. Delgado était devenu une star des chaînes d'info. On l'y voyait en boucle, s'exprimer dans le salon de son appartement, rue des Pyrénées, visiblement heureux d'être filmé – alors que toute la France savait que, deux jours plus tôt, il avait passé l'après-midi à se palucher dans un cinéma porno. On n'était pas à une contradiction près. Les reportages montraient brièvement son épouse qui, elle, semblait beaucoup moins sûre de vouloir passer à la télé *pour cette raison-là*. Lundi après-midi, son mari s'était éclipsé en prétendant aller «acheter le bifteck» et il n'était réapparu que le lendemain, après avoir passé la nuit au poste de police. Ça méritait une explication qu'ils n'avaient pu avoir : Alfonso ne lui appartenait plus depuis mardi.

«Qu'est-ce qu'il en dit, Rigaud? demanda Pauline.

– Hein?» fit Julien, qui n'avait aucune envie de penser à Philippe.

Il n'avait pas reçu de nouveau message et se foutait complètement de connaître son avis sur ce fait divers. Fatigué, légèrement migraineux mais remonté par son passage chez Mme Sylvie, il voulait rester sur l'impression positive de sa prédiction et en profiter pour aller de l'avant, en prévoyant notamment de terminer sa note sur les camps de réfugiés du Soudan du Sud.

Mais Pauline revint à la charge :

«Ça lui fait quel effet de se retrouver à NUOI?

– À qui ?

– Rigaud. Il devient directeur adjoint de NUOI.

– Hein ?

– Me dis pas que t'étais pas au courant ! »

Il la regarda fixement. Aucun son ne pouvait sortir de sa bouche... Rigaud, NUOI. Ces deux mots dans la même phrase, il avait bien entendu... Elle continuait à lui parler mais il ne l'écoutait pas. Son monde, qui dépérissait depuis dimanche, était en train de renaître, comme dans ces dessins animés où des paysages calcinés reverdissent par magie au passage d'une fée.

NUOI était la direction des Nations unies. Quiconque souhaitant être envoyé à la représentation française aux Nations unies gagnait à y avoir des appuis. À connaître son directeur adjoint, par exemple. Ce n'était pas n'importe qui, le directeur adjoint de NUOI, il avait l'oreille de la DRH, qui tenait compte de ses avis, de ses recommandations...

Pauline lisait un message sur son téléphone. Tant mieux parce que, si elle avait regardé Julien, elle aurait pu penser qu'il lui faisait un AVC en direct. Immobile, la bouche entrouverte, les yeux vides de toute intelligence...

« Oh, la vache ! » dit-elle en découvrant l'heure.

Elle attrapa son sac et se leva d'un bond.

« J'ai rendez-vous chez Goasguen », glissa-t-elle avant d'embrasser son homme.

Elle continua en fermant les yeux pour intensifier le plaisir et les rouvrit.

« J'adore le goût de ta bouche quand tu as bu du café.

– Je t'aime », répondit-il sans être sûr qu'elle l'entendait.

90 % des hommes présents dans le café la regardèrent sortir. Julien tourna la tête du côté de la vitre et la guetta un moment avant de comprendre qu'elle avait remonté la rue de l'Université dans l'autre sens...

Mais quelqu'un d'autre apparut sur le trottoir.

Beaumont, avec qui il avait passé quelques heures, la veille. M. Puerto Banús. Il avançait d'un pas tranquille en direction du ministère, en plein dans l'axe du soleil, qui lui faisait plisser les yeux.

Julien, qui l'associait à l'heureux présage de Mme Sylvie, attira son attention en tapant sur le carreau et, trente secondes plus tard, l'homme aux dents très blanches s'installait dans la chaise qu'avait occupée Pauline.

« Que les choses soient claires, je ne vous ai pas suivi, cette fois. Je vais seulement changer ma carte de cantine. Ces imbéciles se sont trompés, ils m'ont fait naître en 1989. »

D'aussi près, en journée, on voyait qu'en plus d'être bronzé il mettait du fond de teint – c'était particulièrement flagrant par-dessus ses rides.

« Un café ?

– Je veux bien, oui. »

Julien héla le serveur et commanda un expresso.

« Vous avez l'air bien, ce matin, commenta Valère. Mieux qu'hier.

– J'ai bien dormi, ce qui ne m'était pas arrivé depuis un moment. L'effet Mme Sylvie, probablement.

– J'en suis sûr. Ses prédictions se vérifient toujours, vous savez.

– Je m'en aperçois déjà... Vous êtes au courant, pour Rigaud ?

– Quoi, il est mort ?

– Non, il est nommé directeur adjoint de NUOI. »

Valère intégra l'information puis se mit à sourire d'un seul coin de bouche, comme s'il se retenait.

« Elle doit être contente. »

Julien se dit qu'il avait mal entendu.

« Non, je vous parle de Rigaud. Philippe Rigaud, qui était à l'Inspection.

– J'ai bien compris. Et je vous réponds qu'elle doit être ravie. »

Julien fronça les sourcils.

« Il est... gay ?

– Qu'est-ce que ça veut dire, gay, pas gay ? Est-ce qu'on sait vraiment ce qui se passe dans la culotte des gens ? Eux-mêmes ne le comprennent pas, la plupart du temps. »

Le serveur déposa le café sur la table en disant :

« Et un express pour ces messieurs ! »

Beaumont y jeta son carré de sucre.

«Je plaisante, je joue sur les mots, mais je ne devrais pas. Elle est tout sauf risible, l'histoire de Rigaud. »

Il se mit à touiller son café.

«Il est monté très haut et il a trébuché, sur une bêtise.

– À Chypre ?

– Je vois que vous en savez, des choses, malgré votre jeune âge... Oui, c'est à Chypre qu'il a déconné... Vous connaissez son histoire ?

– Il aurait eu une aventure avec un type.

– Non, je veux dire *toute* son histoire.

– Ah... Euh... Non.

– Vous ne vous êtes jamais demandé pourquoi cet homme qui a failli être ministre des Affaires étrangères s'est retrouvé numéro deux à Bucarest ? Pourquoi il n'a jamais été ambassadeur ? »

28

À 10 h 24, on apprenait que, contrairement à ce qu'il prétendait, Auzannet ne s'était pas retrouvé au Beverley par hasard. Il s'y rendait fréquemment. I-Télé l'annonçait dans un bandeau « dernière minute » reprenant les propos d'un autre habitué des lieux (qui souhaitait rester anonyme) : « ON LE VOYAIT AU MOINS 2 FOIS PAR SEMAINE.»

Marie-Ange le découvrit, chez elle, rue de Bellechasse, assise en amazone sur l'accoudoir de son canapé. Ce scandale la captivait comme il captivait la plupart des Français, et même un peu plus puisque la carrière de son mari s'en trouvait chamboulée. Elle avait allumé la télé juste après son départ pour le ministère et n'avait pratiquement pas bougé depuis, hésitant même à aller dans la cuisine préparer du thé. Elle y était encore un peu avant

11 heures, enveloppée dans un peignoir gris souris, pas lavée, pas coiffée, quand son portable sonna.

En reconnaissant le numéro de Capuche, elle eut un coup au cœur. Elle hésita à décrocher et ne le fit que par pure bonté chrétienne, au cas où il aurait besoin d'aide.

« Yo, comment ça va ? »

L'émotion lui fit fermer les yeux.

« Très bien, merci.

– T'aurais pu m'appeler, je sais toujours pas ce qui s'est passé hier soir ! Y avait une maîtresse cachée sous le bureau ?

– Non, il travaillait.

– Ton mari ?

– Oui, il travaillait quand je suis arrivée. Je l'ai dérangé.

– Ah, bon... »

Elle le revit à la terrasse du café, rue des Petits-Carreaux, et se demanda s'il avait passé la nuit avec la fille au chien noir.

« Allô ? fit-il.

– Oui, je... je crois qu'on s'est trompés. Enfin, que je me suis trompée. Je pense que le premier SMS était une plaisanterie. Ou une erreur. En tout cas, j'ai eu tort de croire ce que j'ai cru.

– Ah, OK... Bah, au moins, on s'est bien marrés... Et on a bien mangé.

– Oui, on a bien mangé », dit-elle, prise d'une envie de pleurer dont elle ne comprenait pas l'origine.

Un mot de plus et les larmes jailliraient, elle le sentait.

« Bon, écoute, reprit Capuche. Je fais un truc demain soir, à l'appartement. Rien de compliqué. On se retrouve, on écoute de la musique, on se prend pas la tête. La seule chose que je demande, c'est que les gens viennent avec quelque chose, genre une bouteille ou un dessert. J'ai un pote qui amènera un taboulé. Et, bon, ça me ferait plaisir que tu viennes. »

Marie-Ange sentit une larme couler sur sa joue.

« Merci, mais ça ne va pas être possible.

– À cause de ton mari ?

– À cause de... »

Elle ne pouvait pas continuer.

« Marie-Ange ?

– Allez, au revoir, Jonathan. »

Elle s'entendit lui demander de ne pas rappeler mais c'était au-delà de ses forces.

« Allô ? » dit Capuche, l'air complètement perdu.

Elle avait raccroché.

Juste après ce coup de fil, elle se rendit au sous-sol de l'immeuble, toujours en peignoir, le ukulélé à la main. Elle avait pensé le déposer dans le local à poubelles avec les autres encombrants mais le rangea finalement dans leur cave. Elle le coucha en haut d'une étagère, sur une vieille valise poussiéreuse contenant les effets personnels de grand-mère Gasparde.

29

« C'était un très bel homme, Rigaud, quand il était jeune. Aujourd'hui, il ressemble à un éléphant de mer, on a du mal à se rendre compte mais, dans sa jeunesse, on l'aurait dit sorti d'un film de Leni Riefenstahl. Un profil statuesque, un regard perçant, volontaire, un corps d'athlète. Il ramait sur la Seine, du côté du pont de Neuilly. Ce n'est pas compliqué, tout le monde voulait coucher avec lui. Je vous parle de ça, c'était à la fin des années 1970.

– Vous le connaissiez déjà ?

– On se connaissait, oui, de loin. Je le voyais dans les cafés, dans les boîtes. On a même révisé certains examens ensemble. Il faisait son droit, comme on disait à l'époque, au Panthéon. Il arrivait de Bourgogne, du pensionnat, il était appétissant comme une gougère sortant du four. »

Il arrêta enfin de touiller son café et but sa première gorgée.

« À Paris, il est devenu le protégé de Louis de Bainville. Vous avez dû entendre parler de lui, c'était un aristocrate fortuné, très porté sur les beaux-arts et les jolis garçons. Quelqu'un d'extrêmement raffiné, qui avait été l'amant de Cocteau trente ans plus tôt. Remarquez, tout le monde a été l'amant de Cocteau... Il a rencontré Philippe à la piscine Deligny, en est tombé fou amoureux et l'a installé dans son hôtel particulier, rue Fortuny. Rigaud faisait croire à sa famille qu'il vivait dans une chambre de bonne à la Contrescarpe, il leur envoyait de faux reçus pour le loyer, il fallait voir ça ! Alors qu'il habitait un hôtel particulier de 200 m², au milieu des Matisse et des Corot, avec l'autre qui passait sa vie en peignoir et organisait des fêtes incroyables. Une fois, pour son anniversaire, il a fait venir un éléphant chez lui – un éléphant, dans le 17e arrondissement ! Philippe ne savait pas trop quoi faire de sa vie, c'est Bainville qui l'a poussé à entrer aux Affaires étrangères, il lui voyait une carrière à la Chateaubriand. Et c'est lui, aussi, qui lui a dégoté sa femme, une Versaillaise pur jus qui présentait le double avantage d'avoir de l'argent et une particule.

– Marie-Ange ?

– Vous la connaissez ?

– Je l'ai rencontrée une ou deux fois. J'étais VI à Prague quand Philippe était ministre-conseiller.

– Je vois... Eh bien, elle était liée à Bainville. Elle était sa petite-nièce, quelque chose comme ça. Et je ne sais même pas si elle est au courant du rôle qu'il a joué dans son mariage. Elle est un peu empotée, il faut dire. C'est d'ailleurs pour ça que Bainville l'a choisie. Il se disait que Philippe ne tomberait jamais amoureux d'elle. Ce qu'il cherchait à éviter, son pire cauchemar, c'était que son protégé s'éprenne d'un autre homme. Et c'est pourtant ce qui est arrivé. Pas tout de suite, évidemment. Au début, ça a parfaitement fonctionné, leur histoire. Les Rigaud formaient un beau couple, tout le monde les enviait. La carrière de Philippe décollait grâce à Bainville qui faisait jouer ses relations. Les deux hommes ne se voyaient plus, et pour cause, ils vivaient dans des pays différents, mais ils s'appelaient tous les jours. Vous vous rendez compte ? Pendant toutes ces années, ils se sont parlé au téléphone au moins une fois par jour.»

Julien se demanda si, une fois à l'étranger, il aurait envie de skyper Pauline quotidiennement, mais il n'eut pas le temps de trouver une réponse.

«Et donc, un jour, à Nicosie, Philippe trébuche. Il s'éprend d'un jardinier de je ne sais plus quelle nationalité. Asiatique, il me semble. Il a forcément eu d'autres aventures, seulement, cette fois, il commet une faute majeure : il se fait prendre. Son histoire devient connue, publique, il ne contrôle plus rien. Sa femme l'apprend, l'ambassadeur le convoque, les Chypriotes s'en mêlent, on frôle l'incident diplomatique. Mais le plus grave, c'est Bainville, à Paris. Il fait semblant de bien le prendre mais, au fond, ne digère pas du tout ce qu'il considère comme une trahison. En plus, il se fait vieux, il est malade, plein de rhumatismes et de rancœur. Bref, il décide de se venger. De couler le navire qu'il a lui-même mis à flot. Ça devient l'obsession de la fin de sa vie. Sa haine est à la mesure de son amour, immense. D'ailleurs, pour moi, il s'agit de la même chose, du même sentiment, qui prend simplement la direction opposée. Ceux qui vous détestent le plus sont ceux qui vous désirent le plus, ne l'oubliez jamais... Bref, lui qui n'avait plus de vie sociale se met à recevoir, à inviter à déjeuner, à organiser des soirées, il se rend aux anniversaires, aux mariages, aux enterrements, tout ça dans le seul but de nuire à Philippe. Je le revois, débarquer au Quai d'Orsay dans son manteau de vison pour aller remettre une lettre au ministre... Ce n'est pas compliqué, une campagne de calomnie, il suffit de faire croire aux gens que celui à qui vous cherchez à nuire les méprise... Au bout de quelque temps, la plupart de ceux qui comptent aux Affaires étrangères sont convaincus que Rigaud, ce diplomate de second ordre dévoré par l'envie et la jalousie, veut leur perte. Et, du jour au lendemain, ce pauvre Philippe se retrouve « en instance d'affectation ». Payé mais sans poste, sans responsabilité.

Dans les limbes. C'est la pire chose dans une carrière de diplomate, c'est comme si le temps passait à rebours, comme si vous reveniez en arrière. Tout ce crédit que vous avez accumulé patiemment, vous le perdez jour après jour. Et vous ne pouvez rien y changer. C'est comme essayer de stopper le cours d'une rivière avec les mains. »

Julien l'observait, bouche bée, comme s'il regardait un film d'horreur. Un film d'horreur avec que des folles.

« Comment vous avez fait pour apprendre tout ça ?

– Nous avions des habitudes communes, avec Bainville, à la fin de sa vie. Nous fréquentions le même établissement, rue Saint-Marc. J'ai passé de longues heures à l'écouter, sur un transat en plastique, au bord d'une piscine. D'ailleurs, un jour, il s'est levé en disant "J'ai la tête qui tourne" et il est mort, chez lui, dans la nuit. »

Il eut un sourire courtois et regarda sa montre.

« Mon Dieu ! fit-il en se levant précipitamment. Ils ne prennent plus personne après 11 heures... »

Il chercha de la monnaie dans ses poches.

« Laissez, c'est bon », dit Julien.

Beaumont posa sur lui un regard plein d'amour.

« Jeune homme, c'était un plaisir. J'espère avoir très vite l'occasion de vous revoir.

– On pourrait déjeuner Chez Françoise.

– Pourquoi pas ? Leur pavé d'esturgeon est exceptionnel. Je vous laisse m'appeler. En attendant, profitez bien de tout. Et n'oubliez pas : on a toujours moins de temps qu'on croit. »

La phrase, qui sonnait comme la dernière réplique d'une pièce, précéda une sortie tout aussi théâtrale.

Julien le suivit du regard en souriant bêtement puis il tourna la tête vers l'écran de télé suspendu au-dessus du comptoir.

Un journaliste planté devant le Beverley retraçait l'enchaînement des événements de la journée de lundi. Suivait un micro-trottoir où, dans un Paris éblouissant de soleil, des passants donnaient leur avis sur l'affaire Auzannet. Une petite vieille déclarait : « Ils peuvent bien mettre toutes les petites culottes qu'ils veulent, du moment qu'ils me versent ma retraite ! », puis elle passait son chemin.

Julien attrapa son téléphone et, dans ses messages, rechercha le dernier envoyé par Rigaud.

> d'abord, ma bouche.
> avec ma langue je lèche tes lèvres.
> et puis tes joues et tes paupières,
> qui se ferment sur notre secret.

Il leva les yeux, interpella le serveur et, cette fois, commanda une grappa.

Dans la vie, il faut savoir ce qu'on veut, et il le savait.

Il allait donner satisfaction au nouveau directeur adjoint de NUOI.

30

C'est avec tristesse que j'ai appris le décès brutal de M. Alain Testa, adjoint administratif.

Toute l'équipe de l'Inspection générale se joint à moi pour vous adresser ses plus sincères condoléances.

Mme Giannoulatos doit comprendre que l'équilibre des dépenses est un des objectifs prioritaires de l'exercice 2016.

Qu'il repose en paix.

Philippe relut la copie de la lettre de condoléances dans laquelle une recommandation du rapport d'inspection de l'ambassade de France à Port-au-Prince s'était inexplicablement immiscée.

En face de lui, celle qui avait remarqué l'erreur : Anne-Lise, l'autre secrétaire du service, une vieille fille au physique de prof d'allemand, qui observait le document avec un air de souffrance physique, comme s'il lui déclenchait des reflux gastriques (Mlle Gouix, arguant d'un stress consécutif à la mort de l'archiviste, avait attendu le retour de sa collègue pour se faire arrêter, jusqu'au 27 juillet inclus).

Philippe releva la tête.

« Je dois avouer que, dans le ridicule, on atteint des sommets. On sait comment ça a pu se produire ? Techniquement, je veux dire.

– Elle a dû faire ctrl + v.

– Ctrl + v ?

– C'est un raccourci clavier qui permet d'ajouter un mot ou une phrase que vous avez précédemment sélectionnés. La personne qui a fait l'erreur...

– Gouix, vous pouvez le dire.

– Oui... Elle devait être en train de travailler sur le rapport d'inspection quand elle s'est mise à taper la lettre, et elle a dû faire ctrl + v. Involontairement, bien sûr. »

Avec Anne-Lise, tout était toujours clair et précis. C'est elle qu'il aurait dû avoir comme secrétaire, et pas l'autre demeurée.

« Et l'inspecteur général a signé ? »

La secrétaire acquiesça.

« Il n'a rien vu et l'original est parti comme ça. Il devait penser à autre chose quand il a signé.

– Moui, comme Gouix quand elle dactylographiait. »

On n'employait plus le verbe « dactylographier » depuis 1983 mais Philippe n'était pas au courant.

« Imaginez la réaction de la personne qui lira cette lettre. On n'a plus qu'à prier pour qu'elle ne l'envoie pas au *Canard enchaîné*... »

Il referma sèchement le parapheur.

« Reprenez ça, je ne veux plus jamais en entendre parler. »

Anne-Lise prit le classeur, se leva et se dirigea vers la porte, raide comme une trique.

« Attendez, lança Philippe, il y a une chose que je voulais vous demander. Gouix, vous l'appelez comment ? »

La secrétaire pencha la tête sur le côté.

« Comment je l'appelle ?

– Oui, c'est quoi, son nom ?

– Bah, Gouix.

– Son prénom, je voulais dire. »

Anne-Lise se demanda s'il n'était pas en train d'avoir une attaque. Il s'était passé à peu près la même chose avec son père qui, au moment de son AVC, lui avait demandé avec insistance si elle avait téléphoné à Helmut Kohl.

« Son prénom, c'est Sabine, répondit-elle.

– Elle m'a dit qu'elle s'appelait Sabrine.

– *Sabrine* ? C'est la première fois que j'entends ce nom.

– C'est bien ce que je pensais... Merci. »

Philippe la regarda sortir, pivota lentement sur sa chaise et laissa son regard voguer sur la ville.

Quelle semaine ! Entre sa secrétaire qui devenait complètement folle, l'archiviste qui leur claquait dans les doigts en pleine réunion, son téléphone qui disparaissait puis réapparaissait miraculeusement et... c'était quoi, la quatrième chose ? Ah, oui, sa nomination surprise à NUOI... Quelle déception quand il avait compris que Jean-Bernard ne l'avait pas convoqué pour lui parler de Légion d'honneur mais pour lui vendre cette affectation qui n'avait aucun sens. Cette affectation bouche-trou...

Décidément, on passait bien la plus grande partie de son existence à gérer ses désillusions. Est-ce que ce n'était pas ça, le métier d'homme, finalement : ne pas rompre, ne pas céder sous le poids des déconvenues ?

On frappa deux coups à la porte du bureau, qui s'ouvrit sans qu'il ait le temps de dire quoi que ce soit, et Julien Fontana passa une tête dans le bureau.

« Je ne te dérange pas, Philippe ? »

Quelle bonne surprise ! Comme quoi, la vie n'était pas que désillusion...

« Jamais ! Entre, je t'en prie.

– Je voulais juste te féliciter. »

Rigaud se leva et alla à sa rencontre.

« Merci, tu es gentil. Mais, tu sais, il ne s'agit pas vraiment d'une promotion.

– NUOI, c'est bien.

– C'est pas mal.»

Ils se serrèrent la main.

«Tu sais que je suis déjà passé par là, dit Philippe. J'ai travaillé à NUOI autrefois. Lorsque j'étais un jeune rédacteur plein d'avenir.

– J'ignorais.

– À la fin des années 1980. Je rédigeais déjà des notes alors que tu n'étais pas encore né, je me trompe?

– Non, c'est bien ça.

– Incroyable, quand on y pense!»

Ils rirent de bon cœur et Julien plaça discrètement:

«On se voit, ce soir?»

Rigaud était surpris, d'autant qu'il avait décelé une inflexion inattendue dans la voix du jeune homme.

«Ce soir?

– On avait prévu de se voir cette semaine.

– C'est vrai.

– Alors je me suis dit: pourquoi pas ce soir? On a tous les deux besoin de se faire du bien, non?»

Là-dessus, il lui fit un clin d'œil.

Philippe le dévisagea en se demandant s'il avait bu. D'ailleurs, il lui semblait sentir une odeur d'alcool dans l'air. D'alcool fort, comme le gin ou la vodka.

Sans être sûr de comprendre ce qui se passait, il retourna à son bureau, chaussa ses lunettes et posa son index boudiné sur son agenda grand ouvert, dans la colonne du 7 juillet.

« Écoute, moui, ce soir, c'est possible.

– On dit 7 heures chez moi ?

– 7 heures, d'accord.

– *Great !* Je t'envoie l'adresse par SMS. On a l'habitude maintenant ! »

Deuxième clin d'œil.

Philippe, déconcerté, sourit bêtement, puis il bredouilla un « d'accord » hésitant et inutile : Julien était déjà parti.

Cet empressement à le voir, ces clins d'œil, ces sous-entendus, qu'est-ce que ça voulait dire ? Le petit lui faisait du gringue ? Il ne donnait pourtant pas l'impression de s'intéresser aux hommes. Aux hommes qui avaient l'âge de son père.

Il s'approcha de la fenêtre et contempla son reflet dans la vitre ouverte. L'homme qu'il regardait pouvait-il susciter le désir ? Il releva la tête pour faire disparaître son double menton, mit les mains sur les hanches et rentra le ventre autant que possible. Même comme ça, franchement, il ne se trouvait rien d'appétissant. Cette pose et cette fausse lumière ne trompaient personne. Sa lente transformation en limace crevait les yeux.

31

À 12 h 30, on apprenait que Jean-Marc Auzannet était aussi un habitué du Sexodrome, boulevard de Clichy ; à 14 h 15, qu'il avait un profil sur l'application Grindr dans lequel il se faisait appeler lolabitch71 ; et, à 16 heures, qu'une plainte avait été déposée en 2014 par un employé de la société APRR à qui Auzannet avait demandé s'il voulait « voir sa culotte » dans les toilettes de l'aire de Beaune-Tailly, sur l'autoroute A6.

Son avocat avait annoncé un communiqué aux alentours de 18 heures. Autrement dit, Marie-Ange, qui avait déjà passé une bonne partie de la journée devant la télé, n'était pas près de décoller du canapé.

Si on lui avait demandé ce qui l'intriguait tellement dans ce fait divers, elle aurait répondu sans hésiter : « Mme Auzannet. » Imaginer la souffrance de cette femme, de cette épouse, de cette mère, depuis lundi. Se trouvait-elle avec son mari dans leur propriété de Franche-Comté ? Avait-elle discuté avec lui depuis la révélation de sa double vie ou était-elle murée dans le silence ? Où en était leur mariage ? Faisaient-ils chambre à part ? L'ouragan médiatique ne devait pas l'aider à organiser ses pensées et ses émotions. Marie-Ange avait l'intuition qu'elle aurait pu l'aider à traverser cette épreuve si elle avait pu lui parler. Voilà ce qu'elle était en train de se dire quand le téléphone fixe sonna.

C'était son mari qui la prévenait qu'elle ne devrait pas l'attendre pour dîner. Non, il n'irait pas rue Saint-Sauveur, il prendrait un verre avec un collègue, un jeune conseiller à la direction d'Afrique.

Philippe n'était jamais très loquace, surtout au téléphone. Leur conversation fut d'une brièveté remarquable et d'une banalité affligeante. Et pourtant, à sa manière, cet échange fut historique. Ce fut la dernière fois qu'ils se parlèrent avant le grand bouleversement.

Après avoir raccroché, elle fit un saut aux toilettes et revint dans le salon. Un psychologue s'exprimait sur le plateau d'I-Télé. Il avait une belle tête de mousquetaire qui rassurait autant qu'elle charmait. Il expliquait que la double vie était un phénomène essentiellement masculin. Les femmes s'y adonnaient peu parce que leur besoin de franchise était plus marqué. Il disait aussi que le cas

Auzannet n'était pas particulièrement éloquent (c'est le mot qu'il employait), que cette pathologie pouvait atteindre des proportions plus impressionnantes : un homme marié à deux femmes, par exemple, dans deux villes différentes. Dans tous les cas, le principe était le même, c'était celui du cloisonnement.

« Se trouver dans une pièce, exposait-il, n'empêche pas de savoir qu'il y a d'autres pièces dans la maison. Eh bien, ça ne marche pas comme ça dans l'esprit de celui qui mène une double vie. La pièce dans laquelle il se trouve à l'instant T efface les autres. La relation dans laquelle il se trouve à l'instant T efface les autres. »

Marie-Ange se leva pour aller faire du thé et, complètement ailleurs, se retrouva face à l'armoire à pharmacie, dans la salle de bains. Le psychologue au look de D'Artagnan l'avait perturbée.

Elle se rendit dans la chambre à coucher, où elle passa un moment, assise sur le coin du lit. Cette belle pièce bleue, à l'odeur de propre, où tous les bruits étaient atténués... Elle se leva, traversa la pièce, posa la main sur le mur recouvert de tissu lavande et ferma les yeux... *La pièce dans laquelle il se trouve à l'instant T efface les autres...*

Elle retourna dans le salon, où elle chercha son téléphone dans la panière à télécommandes. Elle avait reçu un message promotionnel de La Grande Épicerie qu'elle supprima sans le lire. Dans ses contacts, elle trouva le numéro des taxis G7, qu'elle appela. Une boîte vocale l'invita à taper son code d'accès. Elle s'exécuta et, aussitôt, une voix lui demanda le nom de l'abonné.

« Rigaud, articula-t-elle.

– Quelle est l'adresse de prise en charge, s'il vous plaît ?

– 43, rue de Bellechasse, dans le 7e.

– Pour quelle adresse de destination ?

– 49, rue Saint-Sauveur, dans le 2e. »

On la fit patienter quelques secondes pendant lesquelles elle constata que sa main droite tremblait.

« Mme Rigaud, je vous remercie d'avoir patienté. Une Prius noire, dans cinq minutes. »

32

Il attrapa la bouteille de grappa et hésita. Il était déjà bien chargé et tenait à garder le contrôle. Oui, mais la grappa aidait. Sans elle, il n'aurait jamais pu faire ce qu'il était en train de faire. Elle effaçait le côté déplaisant de toute chose, il avait eu l'impression de flotter tout l'après-midi. Avait-on déjà identifié des molécules communes entre la grappa et la cocaïne ? Il y en avait forcément, leurs effets étaient si proches...

Il remplit le verre à shot mais n'y toucha pas. Ce serait pour plus tard. Au cas où. Il serait là, prêt, il attendrait sur le plan de travail, dans la cuisine...

Julien retourna dans la chambre, où il se jeta sur le lit. Il ferma doucement les yeux et fit un point de la situation.

Il était allongé, en caleçon, dans la pénombre, les stores étaient baissés. Il avait pris une douche, mis du déodorant et un peu de parfum (Terre d'Hermès). L'appartement aussi était propre, la femme de ménage était passée deux jours avant. Pour s'assurer que Pauline n'appelle pas, il lui avait dit qu'il allait à la gym et prenait ensuite un verre avec Thomas Rebattu, qu'il n'avait pas vu depuis Sciences Po. Il avait plusieurs fois repensé à lui depuis qu'il l'avait croisé dimanche, il ignorait pourquoi. Son téléphone était allumé et posé sur la table de chevet, au cas où Rigaud chercherait à le joindre…

Qu'est-ce qu'il lui avait écrit ? Ah, oui : *d'abord, ma bouche*. Lâché comme ça, c'était bizarre parce qu'il y avait une suite : *avec ma langue, je lèche tes lèvres*. Là, ça faisait sens. Il voulait lui lécher les lèvres. Julien n'avait pas spécialement envie de se faire lécher les lèvres par un bonhomme de 63 ans, mais il était encore moins chaud à l'idée de passer quatre ans de sa vie à Dacca. La question ne se posait même pas. Et puis qu'y avait-il de foncièrement désagréable à se faire lécher les lèvres ? Tomber dans un fleuve glacé enfermé dans une voiture, oui, c'était horrible. Se prendre une balle perdue dans l'épaule alors qu'on dîne tranquillement au restaurant, d'accord. Mais se faire lécher les lèvres, honnêtement…

Et puis tes joues et tes paupières, qui se ferment sur notre secret. On notera la musique, le basculement poétique. *Notre secret* était une référence tout en délicatesse au premier message de Julien, le texto qui avait tout déclenché. Le secret en question, c'était *Assieds-toi sur ma bouche*. Rigaud, qui avait déjà manifesté son intérêt pour la chose (*Avec plaisir*), confirmait donc que l'idée lui plaisait. Bon, là, avec toute la bonne volonté du monde, et même en pensant très fort à Dacca...

Un coup de buzzer retentit dans l'entrée.

Julien ouvrit les yeux et pensa que son cœur allait s'arrêter. Dans le silence absolu qui suivit, il réalisa que ses oreilles sifflaient. La grappa, probablement. Pourtant, la sensation d'ivresse avait complètement disparu...

Deuxième coup de buzzer, un peu plus long.

Il sauta du lit et se rua dans l'entrée. L'écran de l'interphone montrait la tête de Philippe, en noir et blanc, déformée par la proximité de la caméra. Son front paraissait monstrueux. Son désespoir, lui, était fidèlement rendu.

« Philippe ? »

En entendant la voix de Julien, Rigaud sembla se réjouir.

« Dixième étage, appartement 1028. Je t'ouvre. »

Julien pressa l'interrupteur et attendit que son visiteur entre dans l'immeuble pour raccrocher. Puis il entrebâilla la porte d'entrée de l'appartement, de façon à ne pas avoir à revenir pour ouvrir. Là, il fila dans la cuisine, où il avala le verre de grappa cul sec. Il retourna dans la chambre, reprit sa position sur son lit et attendit quelques secondes, étendu sur le ventre, avant de décider qu'il serait préférable qu'il enlève son caleçon.

33

Elle regardait l'interphone comme s'il lui avait posé une colle. Elle l'avait complètement oublié, celui-là.

Philippe n'était pas dans le studio, elle en était certaine, mais, dans le doute, elle pressa quand même la touche « P.R. ». Pas de réponse, évidemment. Elle observa l'appareil, désemparée. Ne pouvaient entrer que ceux qui avaient la clé ou à qui on ouvrait de l'intérieur, elle était coincée. Elle se retourna. Sur le trottoir d'en face se trouvait une échoppe portant simplement l'inscription « Fleurs » au néon dans sa vitrine. Sans réfléchir, elle décida de s'y rendre.

L'endroit était voûté, sombre, minuscule, mais il y faisait bon. Sa fraîcheur avivait le parfum des bouquets de mimosa disposés près de l'entrée. Derrière la caisse, une femme en train de compter des billets leva les yeux en voyant Marie-Ange pénétrer dans sa boutique. Cernes, teint blafard, racines apparentes : ça sentait le dépôt de bilan.

« Excusez-moi, vous allez peut-être pouvoir m'aider... » La fleuriste comprit qu'elle n'était pas une cliente : son regard se teinta de mépris.

« Je dois absolument entrer en face. Au 49. Mon époux a un studio au cinquième étage, il vient y travailler très souvent, vous l'avez forcément déjà vu. »

L'autre se remit à compter ses billets.

Marie-Ange perdait son temps. Sans plus y croire, elle hasarda :

« Des cheveux blancs, souvent en costume, un peu fort... Philippe Rigaud. »

À l'évocation de ce nom, la fleuriste leva les yeux.

« M. Rigaud ? C'est votre mari ?

– Oui. Je suis Marie-Ange Rigaud.

– Je ne savais pas.

– Il est en face, en ce moment. Au cinquième, dans son studio. Seulement, je l'appelle depuis tout à l'heure et il ne répond pas, j'ai peur qu'il lui soit arrivé quelque chose. »

À la rapidité de sa réaction, on voyait que la fleuriste avait l'habitude des situations dramatiques. Elle posa aussitôt ses billets et traversa la boutique.

« Il ne répond pas à l'interphone, c'est ça ?

– Exactement.

– Et vous avez essayé son portable ?

– Oui, il ne décroche pas. »

La commerçante était si rapide que Marie-Ange mit du temps à la rejoindre devant l'entrée du 49. Elle avait pressé une des touches de l'interphone et attendait qu'on lui réponde.

« C'est un bon client, M. Rigaud. »

Elle paraissait encore plus déprimée à la lumière du jour.

« Oui, il adore offrir des fleurs, osa Marie-Ange.

– Enfin, on le voit moins ces derniers temps...

– Oui ? » répondit une voix de femme dans l'interphone.

La fleuriste colla sa bouche contre l'appareil.

« Bijou, tu peux m'ouvrir ?

– J'suis pas montrable, là...

– Je ne viens pas te voir, je t'expliquerai, grouille ! »

Et sans demander d'explications, Bijou ouvrit.

La fleuriste poussa la porte pour laisser passer Marie-Ange.

« Si y a besoin de quoi que ce soit, vous savez où me trouver.

– Comment vous remercier ?

– Ne perdez pas de temps avec ça, allez ! »

Et la femme de Philippe, prenant très au sérieux son rôle d'épouse inquiète, se mit à courir à l'intérieur.

34

Il entendit l'ascenseur s'ouvrir au dixième étage puis Philippe pousser la porte de l'appartement et appeler doucement :

« Julien ? »

Inutile de répondre, il comprendrait rapidement ce qu'il avait à faire. Toujours allongé sur le ventre, le jeune homme se contenta de tourner la tête du côté gauche pour observer l'entrée de la chambre.

Quand la silhouette massive apparut en contre-jour dans l'embrasure de la porte, Julien ferma les yeux. À l'image succéda le son, celui d'une respiration lourde, égale, sans temps mort entre les passages de l'air dans ses poumons. Impossible de deviner à l'oreille ce que la vision de ce corps nu lui inspirait.

Puis silence. Il se retint de respirer. Peut-être avait-il simplement fermé la bouche. Un froissement d'étoffe prit la relève et Julien comprit que Philippe approchait. En s'asseyant au bord du lit, il fit pencher le matelas de son côté au point que Fontana dut se décaler dans l'autre sens. La respiration se fit sonore à nouveau. Au même instant, Julien sentit une main se poser sur son mollet. Une main chaude, bienveillante, qui remonta lentement le long de sa jambe. C'était loin d'être une épreuve, mais il est vrai que la grappa devait embellir la réalité...

Parvenue en haut de la cuisse, la main se retourna comme par pudeur et c'est du revers qu'elle caressa l'une des fesses du jeune homme. Philippe n'aurait pas fait preuve de plus de délicatesse s'il avait eu un Vermeer sous les doigts.

« C'est un beau cadeau que tu me fais là », dit-il enfin.

Sa main passa d'une fesse à l'autre, avant finalement de s'échapper.

« Mais je suis un homme fidèle. »

Julien ouvrit les yeux. Il ne comprenait pas.

« Désolé de ne pouvoir te donner ce que tu attends, continua Rigaud. Désolé pour moi, surtout, car je suis bien conscient que l'occasion ne me sera plus donnée d'approcher d'aussi près un être aussi splendide. »

Là-dessus, il lui couvrit les fesses avec le drap.

Julien s'éclaircit la voix.

« Mais, *avec ma langue, lécher tes joues et tes paupières* ? » récita-t-il de mémoire.

Philippe marqua un temps.

«Tu veux lécher mes joues et mes paupières?

– Non, mais...»

Julien se retourna, s'assit dans le lit.

«C'est bien ce que tu as écrit en réponse à mon texto?

– Quel texto?»

Un portable se mit à vibrer. C'était celui de Rigaud qui clignotait dans la poche de sa veste.

Il chaussa rapidement ses lunettes et se saisit de l'appareil.

L'écran affichait le nom «Lufthansa».

«Il faut que je réponde, excuse-moi, dit-il en se levant avant de prendre l'appel. Oui, ma louloutte?»

35

Philippe possédait deux exemplaires de la clé plate, à trous, ouvrant la porte de son studio, rue Saint-Sauveur. L'original, attaché à un trousseau qu'il avait avec lui, et une copie, dans un petit récipient en faïence posé sur son bureau, rue de Bellechasse. Il n'avait aucune raison de dissimuler cette seconde clé. La seule autre personne à en connaître l'existence était Marie-Ange, à qui il ne viendrait jamais à l'idée d'aller inspecter le cabinet de travail de son mari. C'est pourtant exactement ce qu'elle était sur le point de faire.

Arrivée devant le studio, elle se pencha en avant et colla son oreille contre la porte. Elle perçut un bourdonnement, comme celui d'un appareil sous tension, mais aucun bruit particulier à l'intérieur.

Elle ouvrit et entra en regardant autour d'elle comme si elle découvrait l'endroit. C'était un peu le cas. Jamais elle ne s'y était trouvée seule. La petite lucarne y dispensait une lumière pâle, bleutée, un peu mélancolique. Il y régnait une odeur qu'elle n'avait pas remarquée la veille, un fond de vétiver diffus, l'eau de toilette de Philippe...

Bien, il s'agissait de ne pas perdre de temps.

Elle se retourna, chercha des yeux un appareil qui ressemblait à un interphone et, comme elle s'y attendait, n'en trouva nulle part. Puis elle pivota sur sa gauche pour se retrouver face à l'immense bibliothèque en bois sombre. La solution se trouvait de ce côté-là.

Elle s'approcha des rayonnages et passa la main sur les reliures des livres à sa portée. *La Poste de l'ancienne France, Timbres des colonies françaises, Oblitérations suisses 1843-1854*... Oui, car Nevers n'était pas le seul dada de Philippe, il était aussi philatéliste (il nourrissait également une passion pour Nicole Croisille, mais là n'est pas le sujet).

Marie-Ange se saisit des trois gros volumes et les posa sur la table derrière elle. Puis elle introduisit sa main dans l'ouverture qu'elle venait de créer et l'apposa contre le mur avant d'y frapper deux coups. Que comprit-elle qui lui fit ouvrir grands les yeux, s'animer comme si elle ne pouvait plus attendre ?

Elle traversa la pièce, sortit du studio et observa le couloir sur sa gauche. C'est bien ce qu'elle pensait : le mur dans le prolongement du bureau de Philippe était lisse pratiquement tout du long alors qu'à l'origine ce devait être un étage de chambres de service. Leurs portes avaient dû être condamnées. On n'en dénombrait qu'une, en plus de celle du studio. Une porte discrète, tout au bout du couloir. Une porte sans nom, sans numéro, sans inscription, devant laquelle Marie-Ange se retrouva en moins de deux.

Des bruits parvenaient de l'intérieur, sans avoir besoin d'y coller l'oreille. Un fond de musique, et une voix de femme qui chantonnait.

Marie-Ange tourna la tête pour qu'on ne puisse distinguer son visage par le judas et appuya sur la sonnette.

Un roquet se mit à aboyer derrière la porte. Sa maîtresse le fit taire rapidement, la musique s'arrêta, des pas se rapprochèrent...

« Qui c'est ? » questionna la voix, moins haut perchée que lorsqu'elle chantonnait.

Elle n'avait pas prévu de réponse. Tout ce qu'elle savait, c'est que cette porte devait s'ouvrir. Là, maintenant, devant elle. C'était une femme intelligente, contrairement à ce que son mari pensait – elle n'avait que rarement l'occasion de le démontrer : elle se demanda ce qui la pousserait à ouvrir à quelqu'un qu'elle ne connaissait pas et se souvint que la situation s'était produite, rue de Bellechasse, quelques années plus tôt. Sans aucune forme d'hésitation, elle se pencha vers la porte et prit l'air paniqué.

« C'est votre voisine du troisième ! Il faut que j'utilise votre téléphone, ma mère est en train d'avoir une crise cardiaque. Ouvrez, vite ! »

Elle aurait été quelqu'un d'autre, ça n'aurait pas marché, même avec ce subterfuge. Mais elle était Marie-Ange Rigaud, née Vimont de la Bouillerie, épouse de diplomate, originaire de Versailles. Ça se voyait, ça s'entendait. C'est terriblement injuste (pour les autres), mais la vie est ainsi faite : en général, on lui venait en aide sans se poser de questions.

La porte s'ouvrit comme par enchantement et Marie-Ange faillit s'évanouir en reconnaissant la personne qui se tenait devant elle. C'était Puput ! Puput, leur piscinier de Nicosie ! On était en 2016, elle l'avait vu pour la dernière fois en 1992, il avait pris un quart de siècle dans les dents, ses cheveux avaient blanchi, mais aucun doute possible, c'était bien lui. Le même nez court, aplati, qui le faisait ressembler à un boxer. La même tête un peu trop grosse pour sa petite taille (Marie-Ange, qui faisait 1,64 m, était plus grande que lui).

Lui aussi comprit tout de suite à qui il avait affaire. Un réflexe stupide lui fit tenter de refermer la porte, ce que Marie-Ange n'eut aucun mal à empêcher (elle était également plus forte que lui). Un coup d'épaule, et le passage était libre. Puput, tombé pratiquement à la renverse, éclata en sanglots et courut se réfugier dans une autre partie de l'appartement. Le chien, un bichon blanc comme neige, aboya en regardant son maître s'enfuir puis, voyant Marie-Ange entrer dans la pièce avec assurance, l'accueillit en battant hypocritement de la queue. L'appartement faisait une forte impression, de luxe et de clarté. Dans le salon, trois grandes fenêtres répandaient une lumière généreuse et tout ou presque était blanc ou blanc cassé. Au centre, deux grands canapés se répondaient, dans la même teinte écrue que les voilages aux fenêtres. On ne comptait plus les coussins, dont la housse pelucheuse n'était pas sans rappeler les longs poils des tapis recouvrant le parquet. Des plumeaux jaillissaient de potiches de style grec antique et un léopard en céramique grandeur nature montait la garde près d'une fenêtre. Dans un coin, une table basse en verre aux pieds imitant des pattes de lion exposait un gros bouquet de lys. Aux murs, les volutes bleu et or du papier peint semblaient se mouvoir lentement. C'est bien simple, cet intérieur était si gay que, même dans le plus parfait silence, on croyait y entendre la voix de Dalida.

Dans une alcôve arrondie créée entre deux fenêtres, quatre rangs d'étagères présentaient des photos dans des cadres dorés. Marie-Ange s'en approcha, à peu près certaine de ce qu'elle allait y trouver. Très vite, l'émotion lui fit porter la main à la bouche. C'était bien ce qu'elle avait imaginé, seulement un peu plus.

Beaucoup de portraits de Puput, bien sûr, rarement souriant mais toujours à son avantage. Puput avec son col de chemise relevé et son bichon sous le bras. Puput sur les marches d'un escalier d'accès à un avion, les yeux plissés vers l'horizon. Puput en compagnie de sa mère (son portrait craché – lui avec une perruque grise). Et, surtout, eux. Puput et Philippe. La plus parfaite incarnation de l'amour. Son triomphe sur le passage du temps. Deux êtres si différents mais tellement en symbiose posant en compagnie d'un autre couple de garçons, s'enlaçant au sommet d'une montagne, s'embrassant sur le pont d'un navire de croisière, au milieu d'hommes torse nu. Jamais Marie-Ange n'avait vu son mari aussi rieur, épanoui, bronzé...

La tête lui tournait, elle détacha son regard des photos et chercha à s'asseoir. Elle prit place sur le bord du canapé le plus proche, où elle se laissa instantanément happer par ses pensées.

Ainsi donc, quand Philippe prétendait se rendre rue Saint-Sauveur pour écrire son livre sur Nevers, il venait ici retrouver Puput, avec qui il passait quelques heures. Le cabinet de travail attenant n'était qu'un leurre, une mise en scène, Capuche avait raison.

Elle se figurait facilement ce qui s'était passé, la veille, quand elle avait débarqué à l'improviste. La touche « P.R. » de l'interphone avait déclenché un signal dans cet appartement, et non dans le studio d'à côté. Philippe, qui se trouvait ici, avait eu du mal à cacher sa surprise en entendant la voix de sa femme. Ce qu'il redoutait depuis si longtemps était en train de se produire sans qu'il en ait eu la moindre prescience. Il avait laissé tomber ce qu'il était en train de faire et, pendant que son épouse gravissait les étages dans l'ascenseur, avait filé à côté, où il avait allumé son ordinateur, jeté sa veste et sa cravate sur la méridienne et s'était mis dans la peau de quelqu'un que l'on dérange en plein travail...

Depuis quand Puput vivait-il dans cet appartement ? Comment Philippe avait-il pu garder le secret toutes ces années ? Ne pas se trahir une seule fois ? Quand avaient-ils trouvé le temps de partir en croisière ?

Marie-Ange releva la tête et, alors que son regard s'attardait sur un chien en peluche posé sur l'autre canapé, face à elle, un souvenir lui revint en mémoire. Une dizaine d'années plus tôt, alors que les Rigaud vivaient à Paris (ils s'apprêtaient à partir à Bucarest), elle avait cru voir Puput au Monoprix Opéra. Elle était naturellement allée à sa rencontre, mais il s'était carapaté. Le soir même, elle s'était empressée de relater l'épisode à son mari, qui lui avait fait comprendre que c'était impossible : devait-il lui rappeler que ce pauvre Puput était mort dans l'effondrement d'un balcon ? Oui, bien sûr, c'était absurde, avait-elle reconnu en s'excusant d'avoir ranimé des souvenirs douloureux, elle n'avait croisé que quelqu'un qui lui ressemblait...

Il se tenait debout, devant elle.

Puput.

Il la visait avec un petit revolver argenté.

Même son arme faisait chochotte, on aurait dit celle de Bette Davis dans *Satan Met a Lady*. Certes, mais, Bette Davis ou pas, il la tenait en joue et semblait déterminé à tirer. D'aussi près, il pouvait difficilement la louper.

Elle tendit la main dans sa direction comme pour empêcher la balle de l'atteindre, il lui répondit quelque chose qu'elle ne comprit pas, elle ferma les yeux, tourna la tête.

Quelle bêtise, eut-elle le temps de se dire, il va me tuer alors que je ne lui en veux pas...

Et le coup partit.

1992

36

Au début du mois de mars, l'ambassadeur des Pays-Bas à Nicosie, un très bel homme qui ressemblait à Ryan O'Neal époque *Barry Lyndon*, apprit qu'il allait être envoyé à Téhéran en septembre. C'était une affectation difficile qu'il n'aurait pas trop de cinq mois pour préparer. Parmi les questions à régler avant son départ figurait celle de son personnel de maison. De sa cuisinière et du coiffeur-manucure-pédicure de son épouse, précisément, qu'il avait fait venir de Jakarta, où il était en poste avant Nicosie, et qu'il ne projetait pas d'emmener avec lui en Iran. La cuisinière, parce que, sur le point d'épouser un Chypriote, elle ne souhaitait pas quitter l'île. Et le coiffeur-manucure-pédicure, parce que c'était Puput, que personne n'imaginait au pays de Khomeini avec ses bagues, ses cols de chemise relevés et ses airs d'Elizabeth Taylor en visite au festival de Cannes.

La cuisinière fut engagée dans un grand restaurant avant de tomber enceinte et de ne plus préparer à manger que pour sa famille, qui s'agrandit très vite. Puput, quant à lui, fut plus difficile à recaser (pour les mêmes raisons qui rendaient son séjour chez les mollahs inenvisageable). Son employeur réussit in extremis à lui obtenir un rendez-vous avec un diplomate français croisé lors d'un barbecue, à qui il l'avait présenté comme « un employé dur à la tâche pouvant tout faire dans la maison » (ce qui était doublement faux). Philippe, qui venait d'arriver à Chypre, avait dit « Je vais voir ce que je peux faire » et proposé de rencontrer Puput à son bureau le surlendemain.

Pour que le lecteur comprenne ce qui se passa au troisième étage de l'ambassade de France, ce lundi 18 mai 1992, un peu après 10 heures, il semble utile d'apporter deux ou trois précisions sur Philippe, dont la vie (comme c'est le cas pour beaucoup d'entre nous) ne correspondait pas à l'image qu'elle donnait. De fait, au quotidien, l'époux de Marie-Ange vivait un cauchemar. Son métier lui apportait de nombreuses satisfactions (au-delà, même, de ses espérances), mais, au fond, Philippe n'était pas un ambitieux. Sa vraie nature était contemplative. Son rêve de bonheur, c'était d'être allongé dans l'herbe, au printemps, dans la campagne nivernaise, en charmante compagnie. Tu m'aimes un peu, beaucoup, passionnément... La «carrière», on l'avait choisie pour lui. Il y réussissait mais c'était par chance, non par vocation. Tout le monde le pensait froid et méprisant, rien ne correspondait moins à la réalité – c'était seulement la traduction de sa lassitude extrême, de sa dépression latente.

Il avait un mal fou à se retenir de bâiller quand on lui parlait. Il mangeait de plus en plus, se gavait de feuilles de vigne farcies à n'importe quelle heure du jour et ne ressemblait déjà plus du tout à ce qu'il était huit ans plus tôt, quand il s'était marié. À même pas 40 ans, il nourrissait pour sa vingtaine la nostalgie d'un vieil homme. Il se sentait cerné, piégé de toutes parts. Dans ce pays, par la situation explosive. À l'ambassade, par ses responsabilités écrasantes. À la maison, par cette femme qu'il n'avait pas choisie non plus – une femme charmante mais qui lui faisait autant envie que des pieds paquets à un végétarien.

Sans compter la figure de Bainville qui le fliquait à distance. Bainville, son mentor, qu'il appelait tous les jours sans plus savoir pourquoi. Non, d'ailleurs, avec le temps, les coups de fil s'espaçaient. Philippe prétextait sa charge de travail à l'ambassade pour ne plus appeler que deux ou trois fois par semaine. Leurs conversations étaient convenues, expéditives, sans cœur – la flamme s'était éteinte depuis longtemps dans le cœur de Rigaud.

Nicosie ne permettait pas de décompresser facilement. Philippe avait eu de la chance, une fois, au premier étage du Hilton, où il s'était retrouvé dans les urinoirs en même temps qu'un employé qui servait le café dans une salle de conférences. De la chance, un peu de patience, un coup d'œil aventureux, et il avait connu le plaisir. Mais une fois, une seule, et pendant quelques secondes. Jamais il n'avait recroisé le petit serveur au regard espiègle.

Il avait entendu parler du jardin municipal et s'y était rendu pendant sa pause déjeuner. Il n'y avait rencontré personne d'autre qu'un miséreux sur un banc qui semblait avoir compris pourquoi le diplomate se trouvait là et l'avait suivi du regard quand il était passé devant lui...

Voilà dans quelles dispositions il se trouvait quand Puput mit les pieds dans son bureau ce fameux lundi. Oh, il se serait passé la même chose s'il avait été plus détendu. Disons que les circonstances leur firent gagner du temps.

L'Indonésien, que la maturité avait toujours émoustillé, vit se lever de sa chaise l'homme de ses rêves. Européen, le cheveu poivre et sel, une bedaine, une aura de sérieux et de responsabilité. Son prince charmant, ni plus ni moins.

Philippe, de son côté, s'amusa de l'effet qu'il produisait sur cette petite créature avant de se surprendre à lui trouver une certaine séduction. Il devinait, chez cet être menu, précieux, soigné, la douceur de la peau, la chaleur du baiser, la précision du geste – il pressentait l'audace, l'inventivité...

La porte du bureau fut discrètement fermée à double tour et les deux hommes s'aimèrent dans un coin de la pièce. Ils atteignirent rapidement le plaisir, firent une pause silencieuse et remirent le couvert au bout d'un quart d'heure avec plus de bonheur encore que la première fois. Ils se séparèrent pour déjeuner, Rigaud se rendit à une réunion dans le bureau de l'ambassadeur à 14 heures et, cinquante minutes plus tard, retrouva Puput avec qui il fit l'amour jusqu'à 16 h 15. Après quoi, ils passèrent un long moment enlacés, à faire connaissance tout en se couvrant de baisers (la bouche, les joues, le front). Quand ils se quittèrent, un peu avant 18 heures, trempés de la sueur de l'amour, il ne faisait aucun doute qu'ils étaient faits l'un pour l'autre.

37

À Philippe, qui avait la maturité sexuelle d'un garçon de 12 ans, Puput fit découvrir un pays, un continent, un monde dont il ignorait l'existence, celui de la volupté. Jamais le diplomate n'aurait imaginé tirer tant de plaisir d'un autre corps. Et, à 38 ans passés, il découvrait le sien. Il avait des cheveux qui pouvaient être caressés, un cou qui pouvait être embrassé, des seins qui pouvaient être titillés. Physiquement, c'était l'accord parfait. Chacun avait le pouvoir d'électriser l'autre rien qu'en posant son regard sur lui. Lorsqu'ils se quittaient, ils se manquaient très vite. Les mains du diplomate éprouvaient le besoin de serrer la petite taille de Puput qui, de son côté, ne pouvait passer trop de temps sans respirer l'air à la bouche de son amant, devenu son opium.

Philippe retrouva énergie, entrain et sourire, redevint beau. La secrétaire de l'ambassadeur le lui fit remarquer plusieurs fois. «Vous vous êtes remis au sport, monsieur Rigaud?» Marie-Ange, elle, avait la tête ailleurs. Elle se passionnait pour un cours dispensé au centre culturel italien, «bouquets et compositions florales», qu'elle suivait avec d'autres femmes de diplomates et qui la captiva pendant les deux premières années de leur séjour chypriote.

Son mari engagea Puput comme piscinier. C'était absurde, leur piscine était moche, toute petite, personne ne s'y baignait jamais, mais c'était le seul emploi crédible qu'il pouvait lui donner. Marie-Ange n'avait pas besoin de coiffeur-manucure-pédicure à demeure et les autres «vraies» places d'employé à la villa étaient toutes attribuées.

Dès lors, pour les deux hommes commença une vie faite de dissimulations, de mensonges et d'acrobaties. Philippe s'extrayant du lit conjugal en toute discrétion pour aller retrouver son amant dans la remise du jardin, Puput passant par les cuisines de l'ambassade pour rejoindre le bureau de son homme sans être vu dans le hall, Philippe inventant une réunion de l'OTAN à Bruxelles pour aller passer trois jours en couple aux Canaries, Puput caché sous le bureau de son protecteur pendant une visite impromptue du directeur du lycée français...

C'était merveilleux. Merveilleux, intense, palpitant, mais aussi épuisant. D'autant que tous ces efforts étaient à peu près vains : à la villa, tout le monde avait compris (sauf Marie-Ange, c'était miraculeux). Or tous les employés locaux de l'île se connaissaient, beaucoup appartenaient à la même famille : peu de temps s'écoulerait avant que le petit personnel de l'ambassade soit à son tour au courant. Le secret du deuxième conseiller serait bientôt connu de tous.

Il décida d'anticiper le mouvement – l'honnêteté n'est-elle pas la meilleure politique ? Il voulait vivre son amour au grand jour. Il parlerait à sa femme, lui exposerait la vérité et obtiendrait le divorce pour, à terme, se mettre en ménage avec celui qui, il n'en doutait pas, était l'homme de sa vie. Si, pour réaliser ce rêve, il devait quitter les Affaires étrangères, il n'hésiterait pas. Son patrimoine le mettait à l'abri du besoin, il s'imaginait parfaitement repartir de zéro avec Puput dans un environnement plus en accord avec son nouveau style de vie – sur la Costa del Sol ou, pourquoi pas, en Thaïlande.

L'Indonésien exultait à cette idée. D'abord parce qu'il adorait la Thaïlande, et puis parce qu'en bonne *drama queen* il se figurait en rivalité avec Marie-Ange pour l'amour de Philippe. Un peu comme Alexis en lutte ouverte contre la très lisse Krystle dans la série *Dynasty*, dont il était fan. Marie-Ange ne passait-elle pas plus de temps avec lui ? Ne dormait-elle pas avec lui ? L'avoir pour lui seul, ce serait aussi le voler à sa femme.

Seulement, rien ne se passa comme prévu. Rigaud, qui pensait parler à son épouse pendant leurs vacances en Grèce, fin août, se fit piéger bêtement, un peu avant, par un suçon. Lui qui avait pensé à tout (le moment propice, les mots à employer) vit cette histoire lui échapper complètement. Marie-Ange explosa (jamais elle ne lui avait parlé comme ça) et partit seule en France, sans faire part de ses intentions. Les gens le regardaient de travers, beaucoup l'évitaient, l'ambassadeur le convoqua, un rapport circula au ministère.

Pour ne rien arranger, Puput fit une tentative de suicide. Deux jours après l'affaire du suçon, il avala une vingtaine de comprimés d'ibuprofène, ce qui lui aurait probablement été fatal s'il n'avait pas prévenu sa mère par téléphone (la pauvre femme avait dû appeler Philippe, à l'ambassade, depuis l'Indonésie).

Le seul à soutenir Rigaud dans la tempête fut Bainville, à Paris. Pour lui, c'était une glissade, rien de plus. Certainement pas une chute. L'impression de scandale était renforcée par l'environnement (un pays peu réputé pour son ouverture d'esprit), mais il s'agissait d'un incident ridicule qui, à Paris, n'intéressait personne. Un diplomate qui couche avec son piscinier, pfff, *boring*... Le temps effacerait l'outrage comme un coup d'éponge sur la craie. Marie-Ange lui pardonnerait plus vite qu'il imaginait, et le ministère aussi – Bainville y veillerait personnellement.

Par contre, le divorce n'était pas une option : quoi, Philippe voulait quitter les Affaires étrangères pour tenir une gargote à Phuket ? Avait-il perdu la tête ? Il n'allait pas saper des années d'efforts et de réseautage pour une amourette que le premier courant d'air emporterait ? Le Puto (c'est ainsi que Bainville surnommait Puput) devait disparaître. Retourner chez lui et se faire oublier. Et le plus tôt serait le mieux.

Rigaud trouva du réconfort dans la première partie de sa démonstration, mais se séparer de son amant n'était pas envisageable. Autant lui demander de ne plus respirer.

Il mit Puput dans l'avion pour Jakarta en lui promettant de le revoir très vite. Puis il rentra à la villa. Marie-Ange était en France et les domestiques en congé. Il s'installa à son bureau et écrivit une lettre à sa femme dans laquelle il demandait pardon et la suppliait de lui donner une deuxième chance. Le stress lui avait fait perdre la tête, mais ça n'arriverait plus. D'ailleurs, Puput était rentré dans son pays. Dans la foulée, il appela le vieux Bainville, qui était absent. Il laissa sur son répondeur un long message dans lequel il dit à peu près la même chose qu'à sa femme : le piscinier avait quitté Chypre et il commençait à l'oublier.

Après quoi, il s'installa sur le balcon de leur chambre et passa une nuit à la belle étoile, à réfléchir en fumant, lui qui n'avait pas touché une cigarette depuis plus de dix ans. Au petit matin, il avait mal au crâne et envie de vomir. Mais, surtout, il avait un plan.

38

Aux vacances de la Toussaint, il profita d'une réunion sur les questions de sécurité, à Paris, pour retrouver Puput, arrivé de Jakarta. Dans une chambre au premier étage du Meurice, entre deux étreintes, il exposa ses intentions à son amant qui lui signifia son accord en l'embrassant fougueusement.

Après trois jours pratiquement passés au lit, Puput retourna à Bandung, où il faisait des manucures dans un salon de beauté tenu par sa tante, et Philippe à Nicosie, où, dans la plus grande discrétion, il se consacra à la première étape de son plan : le recrutement à distance, par le biais des petites annonces du *Nouvel Obs*, d'un personnage qui deviendrait central dans leur histoire. Chantal Ferrand, 42 ans, bibliothécaire au chômage. Célibataire, un chat. Locataire d'un F2 dans un village de fausse campagne près de Mantes-la-Jolie. Déprimée mais pas dépressive. Pas riche, sans être tout à fait pauvre.

Il la rencontra en personne début janvier à Paris, où il était venu assister aux vœux de Nouvel An du ministre. Trois semaines plus tard, Mlle Ferrand confiait son chat à sa sœur et s'envolait en première classe pour l'Indonésie, aux frais de Philippe Rigaud, qui lui avait également fait cadeau de 5 000 francs afin qu'elle profite pleinement de ces vacances un peu particulières.

Très vite, elle rencontra Puput, avec qui elle avait pour mission de passer le plus de temps possible. Ils n'allaient pas du tout ensemble mais, à force de les voir l'un avec l'autre, c'était un peu comme Paris Plages ou le concept de l'andouillette, on finissait par s'y faire.

Leur mariage fut célébré le 12 mars 1993 à la cathédrale Saint-Pierre de Bandung. Sur la photo officielle, tout le monde a l'air atterré, sauf Puput, qui sourit comme s'il venait de recevoir un oscar (son épouse aurait aimé sourire elle aussi mais, manque de chance, elle souffrait ce jour-là d'une intoxication alimentaire).

Chantal Ferrand, devenue Chantal Chandrawinata, rentra chez elle plus légère de 4 kilos, plus riche de quelques milliers de francs, et surtout revigorée. Elle n'avait qu'une idée en tête : retourner en Indonésie pour revoir Bali, qui l'avait éblouie.

Puput, quant à lui, attendit un peu – le temps, surtout, de préparer sa mère, sa tante et ses sœurs à la séparation. Et, le 18 mai 1993, jour de l'inauguration du TGV Paris-Lille, il débarquait à Paris, où il retrouvait Philippe qui avait prétexté la réfection de la cuisine rue de Bellechasse pour faire le voyage.

L'Indonésien fut installé dans un studio avec vue sur l'église de Saint-Germain-en-Laye, qui présentait l'avantage de ne pas se trouver loin de Mantes-la-Jolie sans être Mantes-la-Jolie. Peu de temps après, il récupéra sa carte de séjour et commença à effectuer des remplacements dans un salon de beauté à Poissy. Il suivait des cours de français dans une association de formation pour adultes et se faisait de plus en plus appeler Olivier, en référence à Olivier Carreras, de *Classe mannequin*, le garçon le plus séduisant qu'il avait jamais vu. Ses loisirs, il les occupait à faire du tourisme avec son épouse (Versailles, Pierrefonds, Deauville) dans le but de prendre le maximum de photos pour son dossier de naturalisation. Il fallait faire vite, cependant : Chantal, qui était retournée à Bali, « où la vie prend tout son sens », parlait désormais de s'y installer.

Philippe était heureux. Tout se passait bien, mieux encore qu'il ne l'avait imaginé. Il voyait peu son amant, mais leurs rencontres n'en étaient que plus intenses, exaltées. Cet état de grâce débordait sur le reste. Il passait plus de temps avec sa fille, posait un regard nouveau sur son épouse, qu'il trouvait intelligente, subtile. Il lui refit même l'amour, une fois. Il n'avait aucun mal à lui faire croire qu'il était fidèle puisqu'il l'était... à Puput, évidemment.

Qu'est-ce qui l'empêchait de divorcer comme il l'avait envisagé ? Dans son esprit, Marie-Ange et les Affaires étrangères formaient un tout – or sa carrière commençait à l'intéresser. Il sentait les hautes sphères du ministère à sa portée et se découvrait une certaine ambition. Et puis, assez ironiquement, il aspirait à plus de tranquillité maintenant qu'il avait trouvé l'amour.

Le bien appelle le bien. Début 1994, il apprit qu'il serait le prochain consul général de France à Milan. À 40 ans, c'était particulièrement gratifiant. Et surtout, Milan le rapprochait de Saint-Germain-en-Laye.

39

Puput devint français le 1er juillet 1996. À la cérémonie de naturalisation n'assistaient que des femmes : ses collègues de travail, sa mère, sa tante, deux de ses sœurs et son épouse, qui arrivait de Bali. À toutes il avait demandé de porter du blanc, comme lui, et pendant cinquante minutes à la sous-préfecture de Saint-Germain-en-Laye, il s'était senti fleur parmi les fleurs, lys parmi les lys.

Philippe, bien entendu, n'en était pas. Resté en Italie, il songeait à l'avenir. Venant d'enchaîner trois postes à l'étranger (Varsovie, Nicosie, Milan), il savait qu'au terme de son séjour italien on le rappellerait à l'administration centrale[1], où il avait toutes les chances d'occuper

---

1. Paris, dans le jargon diplomatique.

une fonction prestigieuse. Se rapprocher de Puput était une perspective emballante mais comportait une part de risque. Comment passer du temps ensemble sans se mettre en danger ? Comment se voir sans se faire prendre ?

L'idée lui vint aux toilettes, un samedi matin, alors qu'il lisait l'interview d'un romancier français dans *L'Express*. L'auteur en question, qui vivait avec une actrice célèbre, expliquait qu'il n'écrivait pas à son domicile mais dans un local situé ailleurs dans Paris, qu'il avait acheté pour en faire son bureau d'écrivain.

Philippe avait toujours eu des velléités d'écriture. En entrant aux Affaires étrangères, complètement conditionné par Bainville qui lui avait monté le bourrichon avec Chateaubriand, il s'était rêvé écrivain-diplomate avant de réaliser qu'il n'avait pas d'histoires à raconter. À part peut-être celle de Nevers, sa ville natale. Pour quelque raison, cette grande histoire de sa ville qui ferait autorité par la qualité de son travail de recherche autant que par son style l'obsédait. Il ne s'y attellerait jamais, il n'en aurait ni le courage ni le temps, mais rien ne l'empêchait de faire croire qu'il y travaillait. Et qu'il avait dans Paris un endroit dédié à ce projet.

Il visita la rue Saint-Sauveur en mai 1997. À l'époque, c'était un « plateau » : le propriétaire avait fait tomber les cloisons de cinq chambres de service, créant ainsi un grand espace sous les toits, inondé de lumière et au charme fou. Tout était à faire (sol, murs, plafond, eau, électricité), et c'est bien ce qui intéressait Philippe. Il allait pouvoir donner forme à son idée.

Il acquit les presque 100 m² en annonçant à Marie-Ange qu'en prévision de leur retour en France il achetait une chambre de bonne pour en faire son bureau d'écrivain. Il inventa un prix qui n'avait rien à voir avec la réalité et sa femme n'y vit que du feu (les questions d'argent lui échappaient totalement). Son seul commentaire fut : « Ce projet te ressemble » (oui, elle était d'une bonté confondante). Le message à faire passer était que, écrire requérant le plus grand isolement, Philippe ne devrait pas être dérangé lorsqu'il s'y trouverait, ce que Marie-Ange comprit fort bien.

Les travaux se déroulèrent pendant la dernière année du séjour milanais. Rigaud, qui tenait à les superviser, ne fit jamais autant d'allers-retours entre la France et l'Italie. Il faut dire que créer un appartement dans un immeuble érigé au XVIIᵉ siècle se révéla bien plus compliqué (et dispendieux) qu'il avait imaginé.

À une extrémité du plateau, on dressa une cloison délimitant un espace de 15 m² pour le faux bureau d'écrivain. Dans ce mur fut percée une petite porte dérobée donnant accès à l'appartement d'à côté. Un passage secret caché derrière une tapisserie, comme dans la chambre de Marie-Antoinette à Versailles, de manière à pouvoir se rendre d'un endroit à l'autre sans être vu sur le palier. Précaution qui, avec le temps, se révéla inutile. Philippe n'avait pas de voisin. Les autres portes à l'étage ouvraient sur des lieux inoccupés : des toilettes hors d'usage, une chambre de bonne insalubre et un débarras plein de journaux que son propriétaire semblait avoir oublié. Entrer dans l'appartement par le palier ne présentait aucun risque. La tapisserie fut retirée rapidement et remplacée par un meuble bibliothèque, bien plus utile.

On condamna les trois portes des anciennes chambres de service, on ponça les poutres pour leur redonner leur teinte d'origine et, au sol, on récupéra les tommettes cachées sous un affreux lino vermoulu. À un bout du plateau, on créa une cuisine américaine (par la fenêtre de laquelle on apercevait la tour Montparnasse) et, à l'autre, on érigea une seconde cloison délimitant l'espace nuit. On mit du double vitrage aux fenêtres, on créa des espaces de rangement à portes coulissantes et, dans la chambre, en face du lit, on installa un écran de télé monumental.

Peu de gens connaissaient l'existence du bureau d'écrivain. Trois personnes, peut-être, en plus de Marie-Ange. Si l'idée d'une visite impromptue venait à l'une d'elles, Philippe, prévenu par l'interphone de l'appartement, avait largement le temps de filer à côté. Il avait chronométré : au plus court (c'est-à-dire en trouvant l'ascenseur au rez-de-chaussée et en se hâtant), le trajet depuis la rue jusqu'au cinquième étage prenait une minute vingt (il y avait le long couloir au rez-de-chaussée du premier bâtiment puis une portion de cour intérieure à traverser). Une minute vingt, c'était plus de temps qu'il n'en fallait pour aller de l'appartement au faux cabinet de travail, accrocher une veste au portemanteau, allumer l'ordinateur et prendre l'air concentré – ce qui, sans se presser, ne prenait pas plus de trente secondes.

Les Rigaud revinrent à Paris à l'été 1998.

Le 20 août, Philippe retirait le ruban adhésif protégeant le verre de la lucarne dans son bureau d'écrivain.

Le 10 septembre, Puput faisait son entrée dans l'appartement qui fut décoré et meublé selon son goût, qu'un professionnel parisien aurait sans doute jugé atroce. L'impression était celle d'un décor de pièce de boulevard : meubles laqués blancs, cadres à photos argentés, plumeaux, pompons et rubans de soie... Mauvais goût, certainement, mais Philippe s'en moquait. Cet intérieur moelleux lui faisait du bien, de la même façon que Puput lui faisait du bien. C'était le seul endroit sur cette terre où il se sentait aussi libre – de se faire les ongles sur son canapé, d'évoluer dans son peignoir de soie bleu roi sans peur du ridicule, de passer une soirée au lit, à regarder un concert de Nicole Croisille, blotti contre son amant. Il faut comprendre : son quotidien, c'étaient des problèmes insolubles, des réunions interminables, des dossiers dans des chemises grises, la rédaction de notes que personne ne lisait, la lecture de rapports qui donnaient envie de dormir au bout de trois phrases. Tout cela suivi de tête-à-tête avec une femme qui lui restait fondamentalement étrangère. Pas étonnant qu'il trépigne à l'idée de se rendre deux fois par semaine dans cet appartement où, sans rien demander, il était couvert de baisers.

Les premiers temps de cette double vie furent d'une félicité sans égale. D'autant que, comme il s'y attendait, Philippe marquait des points professionnellement. On pensa à lui pour succéder à Hervé de Charette au sommet de la pyramide. Le poste lui échappa (on lui préféra un socialiste) et, en lot de consolation, on lui offrit l'un des postes les plus convoités du ministère, celui de chef du protocole. Il serait ambassadeur, bientôt, c'était certain. Pas mal pour un fils de confiseurs bourguignons n'ayant pour tout diplôme qu'une simple licence de droit.

Tout lui était bonheur, aurait dit la comtesse de Paris...

Il fallait en profiter parce que ça n'allait pas durer.

40

En 2001, Louis de Bainville avait 76 ans. Il en faisait quinze de plus, avait des tâches partout sur le corps et un air mauvais (après 60 ans, le physique ne ment plus). Il passait ses journées à écouter du Mahler dans son hôtel particulier en fumant des cigarettes et en donnant un coup de pied à son chat chaque fois qu'il le trouvait sur son chemin.

Un matin d'avril, peinant à sortir du lit, il aperçut des cloques de moisissure au plafond de sa chambre. Il contacta son artisan qui lui rendit visite le lendemain matin, accompagné d'un type plus jeune et plus grand que lui, un électricien qu'il employait sur un chantier.

Si l'artisan connaissait Bainville, l'électricien, lui, découvrait l'homme et surtout son lieu de vie qui ne manqua pas de l'impressionner. Il avançait à la suite des deux autres, le pas ralenti par l'admiration. Les sculptures dans le hall, le carrelage à damier, l'escalier monumental en pierre faisaient toujours leur petit effet.

Au premier étage, alors que le maître de maison entretenait l'artisan d'un problème de fenêtre, l'électricien, derrière eux, laissa échapper un cri du cœur :

« Eh, je le connais, lui ! »

Les deux autres le regardèrent sans rien dire.

Il pointait du doigt une photo encadrée, posée parmi d'autres sur un piano à queue.

« J'ai bossé pour lui. »

Bainville, qui ne voyait rien de là où il était, se rapprocha. L'électricien se saisit de la photo à pleine main pour la lui montrer.

« Posez ça, malheureux ! » s'excita le vieillard.

Il s'agissait d'une photo de Philippe datant déjà de quelques années, son portrait officiel de consul général de France à Milan.

« Philippe, murmura Bainville, basculant dans l'émotion.

– J'ai bossé dans son appartement, dans le Sentier.

– Sa bonbonnière, rue Saint-Sauveur ?

– Hein ?

– Pardon ?

– C'est quoi, une bonbenière ?

– Une bonbonnière. C'est une boîte à bonbons. Et, par extension, un endroit minuscule. Aussi petit qu'une boîte à bonbons, vous voyez ? »

L'électricien marqua un temps, les yeux fixés sur la photo.

« C'est plus grand qu'une boîte à bonbons, chez lui.

– Oui, enfin, à peine. Ça ne fait pas plus de 15 m².

– Alors, là, si ! Et je peux vous dire que je m'en rappelle, y avait rien là-dedans, rien de rien, il a fallu tirer tous les câbles ! »

Bainville l'observa, incrédule. Son flair lui indiquait qu'il était sur le point d'apprendre quelque chose d'éminemment désagréable.

L'ouvrier, loin d'imaginer l'effet de ses paroles, porta le coup fatal.

« Vous, vous parlez du bureau qui doit faire 12-13 m². Mais y a une petite porte, dans le mur, pour aller dans l'appartement d'à côté. Et, là, on a 80 m², facile ! »

Le vieillard sentit son duodénum réagir. Le studio rue Saint-Sauveur était censé être un lieu de travail, d'écriture. Jamais Philippe n'avait évoqué de porte dans le mur et encore moins d'appartement contigu…

Imperturbable, il ravala sa salive, tourna les talons et alla retrouver l'artisan.

« J'ai dit un truc ? » s'inquiéta l'électricien.

Pas de réponse. Bainville avait repris sa conversation avec l'autre, au sujet de la fenêtre.

*

Il voulait agir en toute discrétion, sans éveiller l'attention de Philippe ni de qui que ce soit d'autre (cet homme était un serpent). Et, pour ça, il savait à qui s'adresser.

Henri, dit Riri, qui avait été l'intendant de sa villa à Sète, avant qu'à la fin des années 1980 un horrible accident de voiture lui brûle la moitié de la tête et le prive partiellement de l'usage de sa jambe gauche. Depuis, il était retourné chez sa mère, dans un village des Causses, où il vivotait du RMI. Bainville, ému par sa situation, le faisait régulièrement venir à Paris pour lui confier des «missions» qu'il ne pouvait accomplir lui-même et payait grassement : rayer une Mégane flambant neuve dans un parking de la porte Maillot, suivre un beau serveur de Lipp après son service pour connaître son adresse personnelle, faire peur à un nouveau voisin trop bruyant – de fait, Henri, avec sa démarche claudicante et son tiers de crâne scalpé, pouvait être effrayant.

Cette fois, il s'agissait de découvrir ce qui se tramait exactement au cinquième étage du 49, rue Saint-Sauveur : y avait-il un appartement contigu au bureau de Philippe ? Si oui, qui l'habitait ? Comme d'habitude, la rétribution était tout à fait exagérée : 3 000 francs (plus de 500 euros de 2001). 50 % de suite et le reste à la fin de la mission.

L'autre se fit une joie d'accepter et, le lendemain, le jour était à peine levé sur Paris qu'il se tenait devant l'immeuble en question en se demandant comment il pourrait bien s'y prendre. Comme c'était quelqu'un d'intelligent, il opta pour la manière la plus directe. Il se faufila à l'intérieur dans le sillage d'un type qui y entrait, un jeune gars à lunettes carrées et tennis plates qui, après avoir vu sa tête, se contenta de lui adresser un regard noir en montant l'escalier.

La liste des occupants de l'immeuble n'indiquait que des initiales au cinquième étage : « P.R. » et, en dessous, « O.C. ». Rien de plus précis. C'était énervant.

Riri prit l'ascenseur et, grâce aux explications de Bainville, localisa rapidement le studio de Philippe. S'il y avait un appartement attenant, il ne pouvait se trouver que sur la droite. L'homme de main longea le mur et se retrouva, tout au bout, devant la porte qui ne comportait aucune indication. Ça aussi, c'était énervant. Tout le monde semblait désireux de se faire oublier de nos jours.

Il approcha son oreille en partie déchiquetée et perçut une musique de fond. Une radio était allumée à l'intérieur. Il se redressa, vit la sonnette mais préféra frapper. Trois coups, qui déclenchèrent un cliquetis de griffes sur le parquet suivi d'un reniflement au bas de la porte. Il y avait un chien dans cet appartement, un chien de petite taille à en juger par le son de sa respiration.

Henri frappa à nouveau. L'animal se mit à couiner mais aucun humain ne se manifesta. L'homme de main prit alors le pied de biche qu'il transportait dans son sac à dos et, sans plus de cérémonie, ouvrit la porte. Plus exactement, il *explosa* la porte, dont la partie médiane fut arrachée dans l'effraction.

« Oh, putain ! » laissa-t-il échapper en découvrant l'intérieur.

Quel genre de poule pouvait bien habiter là ? C'était tout doux, tout blanc, clinquant, luxueux. Beaucoup trop chochotte à son goût, même si, il fallait le reconnaître, c'était mieux que chez sa mère.

Le chien, un bichon aussi blanc que le reste, eut un comportement contradictoire. Il grognait tout en reculant, les yeux pleins de peur.

« Bou ! » lança Henri en faisant mine de jeter un objet dans sa direction.

La pauvre bête déguerpit aussitôt.

La radio fonctionnait dans une autre pièce et une fenêtre du salon était ouverte : la personne qui vivait là s'était apparemment absentée pour peu de temps. Il n'y avait pas une seconde à perdre.

En progressant à l'intérieur, il aperçut un formulaire sur l'îlot de la cuisine américaine. Une demande d'adhésion à American Express en partie complétée par un certain Olivier Chandrawinata. À côté se trouvait une carte de membre du Gymnase Club au même nom.

« Niakoué », laissa échapper Riri en voyant la photo.

En attendant, il avait un nom et un visage.

Alors qu'il fourrait les deux documents dans sa poche, son œil fut attiré, un peu plus loin sur le même meuble, par une photo dans un joli cadre en verre poli. Deux hommes qui visiblement formaient un couple fixaient l'objectif en souriant de toutes leurs dents. Henri les observa quelques secondes en mâchant son chewing-gum.

« Tarlouzes », commenta-t-il avant de glisser le cadre dans son sac.

Un bruit lui fit baisser la tête...

C'était le chien qui, à ses pieds, essayait de mordre le bas de son pantalon.

« Fais pas chier ! » dit l'homme en l'éloignant d'un coup de pied.

Puis il couvrit la pièce d'un regard circulaire. Sur des étagères entre deux fenêtres, il aperçut d'autres photos qu'il décida d'aller admirer de plus près.

Grrr, grrr... Le bichon était revenu à la charge.

« Ah, fais pas chier ! » répéta Riri, un peu plus agressif.

Il se baissa, attrapa l'animal par le ventre et le jeta derrière lui. Il se redressa, se dirigea vers l'alcôve et, là, entendit un cri. Un cri d'horreur poussé par une femme à l'extérieur. L'homme de main se retourna, avisa la fenêtre ouverte et mit la main devant la bouche. Il avait jeté le chien dans la rue sans le faire exprès.

Il resta figé un instant, incapable du moindre geste. De la rue lui parvinrent la rumeur d'un attroupement et des bribes d'explication balbutiées par la femme qui avait crié, en état de choc.

Sa mère lui disait toujours qu'il ne se rendait pas compte de sa force.

41

« J e vous avais demandé de découvrir qui vivait
là-bas, pas de jeter un chien par la fenêtre ! »
Les doigts de Bainville s'agitaient comme la queue
d'un serpent à sonnette.

« Et vous l'avez tué ?

– Y a des chances. Il est quand même tombé du
cinquième.

– Il aurait pu atterrir sur quelque chose. Dans un arbre.

– Y avait pas d'arbre, non.

– Il est tombé côté cour ou côté rue ?

– Côté rue.

– Seigneur, soupira le vieux reptile. Et après, qu'est-ce
que vous avez fait ?

– Bah, j'ai volé deux ou trois conneries dans l'appartement pour faire croire à un cambriolage et je me suis

cassos vite fait parce que ça devenait franchement le bordel dans la rue à cause du clebs.

– Deux ou trois conneries, comme vous y allez… Vous savez ce que c'est, ça ? »

Il désignait l'un des objets volés par Henri.

« Un œuf de Pâques ? Un truc pour les gosses ?

– Non, cher ami, c'est un œuf de Fabergé. »

Le vieillard était sur le point d'en révéler le prix mais préféra se taire.

« Fabergé ? reprit l'autre. C'est un truc de parfum ?

– Je ne comprends pas le sens de cette phrase.

– C'est pour mettre du parfum dedans ?

– Non, ça n'a qu'une fonction esthétique. Enfin, pour ceux qui aiment. Ça n'a jamais été mon cas. Je ne sais d'ailleurs pas ce que je vais faire de celui-là. »

Henri avait tué un animal innocent mais c'était sans le vouloir. Et puis il s'était acquitté de sa mission : il avait découvert le secret de la rue Saint-Sauveur. Bainville le paya, l'escorta à la porte et le regarda partir. Puis il revint dans son bureau, où il se servit un whisky dont il but une première gorgée en contemplant à nouveau la photo du couple.

Ainsi donc, Philippe filait le parfait amour avec un Asiatique (pas vraiment beau garçon, mais il paraît qu'au lit ces gens-là faisaient des merveilles). Non seulement ils formaient un couple, mais ils avaient un nid à côté du bureau où Rigaud prétendait écrire son grand livre sur Nevers. C'était très astucieux. Et très impressionnant. Il fallait une détermination exceptionnelle pour accomplir ce genre de choses...

L'image se brouilla devant ses yeux, comme derrière une vitre sur laquelle bat la pluie... Pleurait-il ? Vraiment ?

*

Puput vécut très mal la mort de Vanille. Lui dont la couleur fétiche était le blanc ne porta que du noir pendant le mois qui suivit. D'autant qu'il s'en voulait : rien de tout cela ne serait arrivé s'il n'était pas ressorti chercher à Franprix les oranges qu'il y avait achetées et oubliées sur le tapis roulant un peu plus tôt. Ou s'il était ressorti avec son chien au lieu de le laisser seul dans l'appartement. Un jour de toilettage en plus ! Rendez-vous avait été pris chez Tout pour mon toutou l'après-midi même ! Le bichon n'aura même pas connu le bonheur d'un dernier shampoing avant de mourir !

Pour lui, Vanille était mort en héros lors d'un cambriolage qui avait pour but de dérober l'œuf de Fabergé. C'était un excellent chien de garde sous ses airs de peluche animée, il avait dû intervenir et l'avait payé de sa vie. Il fallut peu de temps pour que sa photo luxueusement encadrée et ornée d'un ruban de feutrine noir se retrouve en bonne place dans l'alcôve.

Philippe, lui, devinait que les choses s'étaient passées autrement. Quel voleur dérobe un œuf de Fabergé à 35 000 francs et la photo d'un couple d'hommes en vacances à Sitges sans autre valeur que sentimentale? Et puis ces gens-là travaillent généralement à plusieurs. Or les quelques témoins de l'effraction parlaient tous d'un homme seul. Pour Rigaud, ça ne faisait pas de doute : l'intrus cherchait une preuve que Puput et lui formaient un couple et avait emporté l'œuf pour faire croire à un cambriolage.

Alors, qui? Qui était derrière cette opération? Deux personnes pouvaient vouloir enquêter sur la vie sentimentale de Philippe, Marie-Ange et Bainville, mais chez aucun d'eux il n'avait remarqué de changement d'attitude, même subtil. Sa femme l'accueillait tous les soirs avec son éternel sourire absent. Quant à son mentor, il était toujours aussi onctueux (onctueux, cynique, drôle) lors de leurs échanges téléphoniques (même s'ils se raréfiaient avec le temps). Il fallait probablement chercher dans un cercle plus large, familial et professionnel...

En attendant, il se promit de faire preuve de plus de vigilance et prit des mesures pour protéger son couple.

Il fit blinder la porte de l'appartement et poser une serrure à trois points sur celle du faux bureau. Il changea l'identité de Puput dans ses contacts téléphoniques.

Ce dernier, qui y apparaissait jusque-là sous le nom d'«Olivier», fut rebaptisé «Lufthansa» (qui n'avait aucune raison de chercher à contacter Philippe). Et, un mois après l'agression, ce n'est pas un nouveau chien que son amant reçut pour son vingt-neuvième anniversaire (le bichon de remplacement viendrait plus tard) mais une arme, un revolver Smith & Wesson que Rigaud avait surtout choisi pour sa taille : il tenait aisément dans la pochette Vuitton que son compagnon portait constamment en bandoulière.

Il sortit de ses tiroirs l'article d'un quotidien indonésien que la mère de Puput avait fait parvenir à son fils plus tôt cette année-là. Le papier relatait l'effondrement d'un balcon lors d'un mariage à Bandung, où vivait la famille Chandrawinata. Philippe n'avait pu s'empêcher de noter à quel point l'une des victimes, dont la photo figurait dans l'article, ressemblait à Puput. Il décida de s'en servir pour faire croire à la mort de son ex-piscinier. Arborant une mine de circonstance, il montra l'article à sa femme, qui en fut bouleversée. Elle ne fit pas attention au nom de la victime, ce qui d'ailleurs n'aurait rien changé puisqu'elle ignorait le patronyme de Puput. Rigaud en parla aussi à Bainville et répandit la nouvelle au ministère, où elle créa un certain émoi (il faut dire que la photo de ce qui restait du balcon était glaçante).

Et, surtout, il se mit à draguer. Les femmes. C'était bien pensé et, de surcroît, plus facile qu'il l'imaginait. Il suivait du regard les plus jolies, dans la rue, quand Marie-Ange était près de lui. Il envoya des fleurs à une journaliste de France 2 qui l'avait interviewé pendant les Journées du patrimoine, à une attachée de presse rencontrée au ministère de la Culture, à une sous-préfète qui ressemblait à Danièle Évenou. Il déclara sa flamme à une fonctionnaire du ministère du Logement qu'il avait suivie chez elle (la pauvre fille, qui venait de commencer un traitement au Prozac, se demanda ce qui lui tombait dessus). Lors d'un déjeuner dominical, rue de Bellechasse, alors qu'il se trouvait seul avec elle dans la cuisine, il fit mine de vouloir embrasser Marie-Caroline, la sœur de Marie-Ange, qui le gifla («Tu as trop bu, Philippe!»). Il fit aussi semblant de s'intéresser à Mafalda, la femme de ménage des Rigaud, une Portugaise très efficace que Marie-Ange se vit contrainte de congédier. Et quand il était à court d'inspiration, il déposait un peu de rouge à lèvres sur ses cols de chemise... Avec ça, bien malin celui qui aurait deviné qu'il vivait une histoire avec un Indonésien installé comme une reine dans un appartement du 2ᵉ arrondissement.

Bainville, lui, savait. Et il ne pardonnait pas à Philippe de lui mentir comme il le faisait au reste du monde. Reclus dans son hôtel particulier, alcoolique, malade et dévoré par la jalousie, il décida de consacrer le peu de temps qui lui restait à se venger. Même si l'envie lui en prenait certains soirs, il renonça à cibler le mariage de Philippe. Ça ne lui aurait pas fait assez mal. Au contraire, divorcer de Marie-Ange lui aurait sans doute simplifié la vie. Ce que le vieillard avait en ligne de mire, c'était la carrière de Rigaud. Saper doucement ce dispositif qu'il avait contribué à lancer et à installer, le détruire lentement, depuis la coulisse, sans que le principal intéressé n'en sache rien. Ce projet le comblait de joie, il en tapait littéralement dans les mains entre deux quintes de toux.

Et c'est ainsi que commença la lente exécution. Par une invitation à déjeuner toute simple, à un certain Henri Leclerc, ancien ambassadeur avec lequel Rigaud avait travaillé à Varsovie à la fin des années 1980...

Bainville avait beaucoup décliné lorsque, quelques années plus tard, il raconta toute l'histoire à Beaumont. Il mélangeait un peu tout, ponctuait ses phrases de longues pauses pendant lesquelles il tentait de se remémorer une date, un nom. Ainsi, il avait complètement oublié que presque dix années s'étaient écoulées entre l'affaire du suçon et la découverte de l'appartement rue Saint-Sauveur. Il sentait pourtant que quelque chose clochait – il se rappelait bien n'avoir pas si mal réagi en apprenant l'infidélité de Philippe...

Peu importe, du reste, le résultat fut le même. Tuer son ancien amant professionnellement demeura l'une des grandes satisfactions de sa vie. Faire le mal peut rendre très heureux.

Jeudi

42

Elle ouvrit les yeux dans le canapé du salon, rue de Bellechasse. Chaque meuble était à sa place, la lumière entrait dans la pièce de manière habituelle, les bruits étaient ceux d'un matin de semaine ordinaire et pourtant tout avait changé. Sa vie avait implosé.

L'une des premières images qui lui vint à l'esprit fut une photo qu'elle avait aperçue, la veille, dans l'appartement, rue Saint-Sauveur. Philippe et Puput en compagnie de Benoît XVI. Cette image l'avait blessée bien plus que celles montrant les deux hommes en croisière ou devant le Colisée. Elle savait ce que cette rencontre représentait pour son mari qui avait gardé un fond de religiosité, elle devinait la joie qu'il avait éprouvée en apprenant que l'audience aurait lieu, l'impatience qui l'avait gagné alors qu'elle approchait, et elle lui en voulait terriblement de ne rien avoir partagé avec elle... D'ailleurs, quand cette rencontre s'était-elle produite ? Au cours des quatre années qu'ils avaient passées à Milan ? Ces histoires de chronologie demeuraient pour elle un mystère...

En se rendant dans la cuisine, elle réalisa que, bien que n'ayant dormi qu'une poignée d'heures, elle n'éprouvait aucune fatigue. En passant, elle jeta un œil dans leur chambre, où le lit n'avait pas été défait. Elle ignorait où se trouvait son mari, où il avait passé la nuit. Ainsi donc, pensa-t-elle, pendant toutes ces années, je n'aurai été pour lui qu'un devoir, une obligation, comme les vœux du Nouvel An ou la taxe d'habitation.

Elle se prépara un thé qu'elle but, comme à son habitude, en observant la cour du couvent Sainte-Marcelline depuis la fenêtre du salon. Deux sœurs filaient en souriant derrière les arcades, l'air heureux. Pour elles, la journée qui commençait serait sans doute semblable aux autres. Qu'est-ce qui pouvait chambouler la routine d'un couvent ?

Une religieuse l'avait remarquée, une fois. Une seule fois, en presque trente ans. Elle s'occupait des plantations autour du puits et, sans prévenir, exactement comme si Dieu le lui avait chuchoté à l'oreille, elle avait relevé la tête, posé sa main en visière sur son front et cherché du regard le troisième étage de l'immeuble qui se dressait au bout de la cour. En découvrant Marie-Ange, elle avait souri ou, plus précisément, lui avait adressé le plus beau, le plus sincère, le plus inspirant des sourires. En retour, la femme de Philippe l'avait saluée rapidement de la main.

Sans défaire ses yeux du couvent, elle songea à la tentative d'assassinat dont elle avait miraculeusement réchappé, la veille, rue Saint-Sauveur. Alertée par le bruit, la voisine du dessous était montée au cinquième et avait passé une tête par la porte ouverte de l'appartement alors que Puput s'apprêtait à appuyer sur la détente. Distrait par cette apparition, l'amant de Philippe avait tiré dans le vide. Puis il avait lâché le revolver et avait couru dans sa chambre. La voisine, qui pressentait le pire, s'y était ruée à sa suite, l'avait trouvé en train d'enjamber la fenêtre et retenu in extremis.

Philippe, prévenu par sa louloutte (Puput) dès l'arrivée de Marie-Ange, avait débarqué un peu plus tard dans l'appartement, où une scène surréaliste s'était offerte à sa vue : son amant, étendu sur leur lit, réconforté par son épouse, assise près de lui. Un peu plus loin, la voisine, pendue à son portable, recueillait les conseils d'un médecin.

En voyant son mari, Marie-Ange était venue à sa rencontre et lui avait asséné un coup à l'estomac qui l'avait fait tomber à genoux de douleur. Puis, sans plus s'occuper de rien, elle avait pris ses affaires et était partie.

Elle se doucha, se prépara. Chemisier à rayures bleues, pantalon en lin beige, fine ceinture torsadée, mocassins plats habituels. Collier de perles blanches et petite montre en acier or et argent.

Elle commanda un taxi qu'elle attendit, assise dans le fameux vestibule, en observant son salon comme on regarde un lieu de vacances que l'on s'apprête à quitter. Puis elle se releva et retourna dans la salle de bains. Là, elle retira son alliance qu'elle déposa sur la tablette, à côté du verre à brosses à dents.

Dans le taxi, ni Radio Classique ni Rire et Chansons : le silence. Elle réalisa que, la veille, rue Saint-Sauveur, juste avant que la porte ne s'ouvre, elle savait. Elle savait que la personne sur le point d'apparaître était un homme, et que cet homme était Puput. Intuition pure, qui n'avait pas d'explication rationnelle. Peut-être qu'au fond on sait toujours, pensa-t-elle.

Alors qu'ils traversaient la Seine, elle eut envie d'entendre son amie Bertille et chercha son numéro dans ses contacts. Au même instant, elle reçut un appel. C'était Philippe.

Elle décrocha, sans rien dire. Des bruits de rue (passants, voitures) indiquaient qu'il n'était pas au ministère, où il aurait dû se trouver à cette heure.

« Je voulais te remercier, dit-il au bout de quelques secondes. Tu m'as libéré et je voulais t'en remercier. Pendant toutes ces années, je... ah, je m'en veux tellement...

je t'ai tellement mésestimée. Tu es si forte, bien plus que ceux qui font usage de leur force...

– Philippe ?

– ... plus droite, aussi. Ta droiture, Marie-Ange...

– PHILIPPE ! hurla-t-elle.

– Oui ?

– Je m'en fous. Tout ce que tu pourras dire, je m'en fous, tu n'as pas idée à quel point. »

Et elle raccrocha.

Le chauffeur lui jeta un coup d'œil amusé dans le rétroviseur, elle rangea son téléphone dans son sac et tourna la tête du côté de la vitre. Au bout de quelques secondes, elle entendit le portable vibrer et, certaine que son mari la rappelait, laissa faire.

Deux minutes plus tard, le taxi la déposait devant le 3, rue de Rochechouart.

26B12.

Elle avala les quatre étages d'une traite et sonna à la porte sans avoir repris son souffle. Pas de réponse. Elle recommença un peu plus longuement et, cette fois, entendit quelqu'un venir de l'autre côté.

C'était la fille qu'elle avait aperçue dans l'appartement lundi matin, la jeune fille qui revenait du supermarché – elle avait oublié son prénom. Elle était beaucoup moins à son avantage que trois jours plus tôt, et pour cause, elle sortait de son lit. Cheveux en pétard, visage bouffi de sommeil, yeux à peine ouverts mais parvenant malgré tout à exprimer son mécontentement.

«Dieu soit loué, dit Marie-Ange, je pensais qu'il n'y avait personne.

– Qu'est-ce que...? demanda l'autre, pas assez réveillée pour finir sa phrase.

– Je suis venue voir Jonathan.

– Jonathan, connais pas, désolée.

– Capuche.

– Capuche.»

La môme disparut en laissant la porte ouverte. Marie-Ange en profita pour passer une tête à l'intérieur.

Lendemain de fête. Silence total, lumière rouge sombre. Un garçon en caleçon dormait sur le ventre, dans le canapé, une jambe dans le vide. Il tenait contre lui une bouteille de Beefeater comme si c'était un doudou. La plante de ses pieds était noire comme s'il avait marché sans chaussures. Par terre, des gobelets en plastique rouges, une autre bouteille de gin (vide, renversée) et un verre, identique à celui dans lequel Marie-Ange avait bu l'avant-veille – contenant, cette fois, des mégots de cigarette...

«Il est pas là, Capuche, dit la jeune fille, réapparue. Il est parti, j'avais oublié, j'ai la tête dans le cul.»

Elle s'apprêtait à fermer la porte.

«Attendez, la retint Marie-Ange. Vous savez où il est allé?

– Il disait qu'il voulait voir sa mère.

– Sa mère ? Et vous savez où elle habite ? »

L'autre soupira, se tourna vers l'intérieur de l'appartement et demanda à la cantonade :

« Elle habite où, la mère de Capuche ?

– Dans ton cul ! répondit une voix.

– Saint-Brieuc ! » lança une autre.

Marie-Ange posa sa main sur le cadre de la porte pour prévenir toute fermeture.

« Vous connaissez son nom de famille ?

– À qui ?

– La mère de Jonathan. Capuche.

– Non, elle a divorcé. Allez, bonne journée. »

Cette fois, la femme de Philippe eut juste le temps de retirer sa main avant que la porte se referme.

Cette conversation n'avait aucun sens. Comment cette fille pouvait-elle ignorer que son ami était parti ? Et ne pas savoir où ? Il fallait vraiment que la soirée de la veille l'ait complètement retournée...

Marie-Ange descendit l'escalier en s'imaginant aborder les passants à Saint-Brieuc pour leur demander s'ils n'avaient pas vu un jeune homme dans les 25 ans, de grands yeux noirs, un regard très doux...

« Pssst... »

Elle se retourna.

« Là, chuchota une femme qui avait sorti la tête de son appartement au troisième étage. Vous cherchez le musicien ? »

C'était la jolie brune qui lui avait donné le code de l'immeuble lundi matin.

« Je vous reconnais ! dit-elle en approchant.

– Moi aussi, j'ai reconnu votre voix.

– Vous écoutez toutes les conversations de l'immeuble ?

– Oui, enfin, non. Uniquement celles du quatrième. Je prends tout en note, pour le syndic, pour les faire expulser. Ils ont encore foutu le bordel toute la nuit. Jusqu'à 4 heures du mat. Vous les avez vus, non ? Ils étaient nombreux ?

– Aucune idée.

– Vous êtes restée sur le palier ? »

Marie-Ange fit oui de la tête.

« Vous recherchez le musicien, c'est ça ?

– Jonathan, oui. Enfin, Capuche.

– Et qu'est-ce qu'on vous a répondu ?

– Qu'il était parti voir sa mère à Saint-Brieuc. »

La bonne femme haussa les épaules.

« N'importe quoi ! Je sais où il est, il me l'a dit ce matin.

– Vous lui avez parlé ?

– Et comment ! J'ai pas pu fermer l'œil à cause de leur foutoir et quand j'arrive enfin à m'endormir, à 6 heures du mat, v'là l'autre qui me réveille en descendant l'escalier avec sa valise ! Bang, bang ! Ça cognait partout. J'étais verte. Je suis sortie de chez moi, je peux vous dire que j'ai gueulé. Cela dit, c'est pas un mauvais bougre, il a bon fond. Même la sœur, du reste, n'est pas méchante. On était copines autrefois, on allait ensemble faire du yoga rue de Vinti...

– Excusez-moi, mais il est parti où ?

– Au Portugal. Voir sa sœur, justement. À Madère. Il avait un avion à Orly. À 10 h 05, je m'en souviens, il m'a montré sa réservation. »

Marie-Ange consulta l'heure sur son téléphone : 9 h 45.

« Faut arriver deux heures à l'avance avec ces vols à la con, continua l'autre. Et Orlyval, c'est quarante-cinq minutes, si vous le prenez à Denfert. Donc, faites le calcul. 10 h 05 moins deux heures, ça fait... »

Marie-Ange n'avait pas le temps de calculer.

« Merci, madame », coupa-t-elle.

Et elle fila.

Pourquoi courait-elle en entrant dans l'aéroport puisque l'avion de Capuche avait décollé quarante minutes plus tôt ? C'est qu'elle connaissait la réputation des compagnies low cost. Une fois, Bertille s'était envolée pour Dublin avec seize heures de retard. Avec un peu de chance, le vol de Capuche ne serait pas à l'heure non plus...

C'était presque ça. L'écran des départs indiquait que le vol de 10 h 05 pour Madère avait du retard, mais l'embarquement était terminé, les portes fermées et le décollage imminent.

Elle quitta l'écran des yeux et, désemparée, erra sans but dans l'aérogare. Elle fit la queue à un Starbucks avant de se raviser puis se retrouva dans un Relay, où elle feuilleta *Gala* avec Brigitte Macron en couverture.

Alors qu'elle remettait le magazine à sa place, son téléphone sonna. Elle le sortit mollement de son sac et vit qu'il s'agissait d'un numéro privé. Sa vie étant en plein chamboulement, elle se dit qu'il valait mieux répondre.

« Allô ?

– Yo… »

Elle reconnut le timbre de voix, mit la main devant sa bouche et se retint de pleurer.

« Jonathan ?

– Hey, je peux pas trop parler, je suis dans l'avion, je vais voir ma sœur à Madère… Comment ça va ?

– Je suis tellement heureuse de t'entendre.

– Je voulais te dire au revoir comme il faut, ça m'embêtait qu'on se quitte comme hier. T'avais l'air…

– Je sais, je suis désolée, il se passe tellement de choses. Jonathan, tu avais raison.

– Pour ton mari ?

– Oui ! Son bureau, rue Saint-Sauveur, c'était un leurre.

– Un quoi ?

– Un leurre. C'était pour faire illusion.

– Je te l'avais dit !

– Il avait installé notre piscinier de Nicosie dans l'appartement d'à côté.

– Qui ça ?

– Puput, son amant de Nicosie.

– Mais je croyais qu'il était mort.

– C'est ce que Philippe a fait croire à tout le monde. »

Sa petite voix intérieure l'implorait de changer de sujet, de lui parler de lui, d'eux. Au lieu de ça, elle continua sur Saint-Sauveur.

« Il le voyait chaque fois qu'il allait soi-disant écrire son livre, tu te rends compte ?

– C'est un film, ton histoire !

– Ils ont été ensemble pendant toutes ces années... »

Il y eut un court silence, comme si le contact avait été perdu, puis Capuche reprit :

« Marie-Ange, faut que je te laisse, y a une hôtesse qui me demande d'éteindre mon portable.

– Jonathan...

– Juste, je voulais te dire : tu es une belle personne. »

Elle fut trop surprise pour répondre quoi que ce soit.

« Allez, reprit-il, bonne chance. »

Et, bien sûr, il raccrocha.

Ça, ma fille, c'est bien fait pour toi. Il faut toujours écouter sa petite voix intérieure... Qu'est-ce que tu vas faire, maintenant ? Retourner à Starbucks pour acheter un latte qui te donnera des gargouillis ? Rentrer rue de Bellechasse et te préparer un thé ? Tu sais bien que Capuche t'apprécie, il vient de te le dire ! Alors ? Qu'est-ce qui te retient, exactement ? De quoi as-tu peur ?

Finalement

Trente-deux ans de mensonges et de dissimulations : Philippe aurait mérité d'être jeté en enfer pour y rôtir jusqu'à la fin des temps. Seulement, la vie n'est ni morale ni juste et la période qui suivit fut pour lui d'un bonheur sans égal. Fraîchement divorcé puis retraité, il vendit la rue Saint-Sauveur, oublia Nevers et partit s'installer avec Puput sur les hauteurs de Cannes. Le Philippe Rigaud gris, suintant, ventripotent, qui se rendait au ministère comme à un enterrement, laissa place à un sexagénaire souriant, mince et bronzé qui comptait chaque jour les kilomètres qu'il accomplissait à vélo. Quelque temps après leur installation, il épousa Puput lors d'une fête inoubliable où tout le monde portait du blanc. La photo officielle les montre les yeux dans les yeux, l'air amoureux, et ce n'était pas du chiqué : après tout ce temps, ils faisaient encore l'amour pratiquement tous les jours. Dans le petit groupe d'invités derrière eux, une tête dépasse, celle d'une femme plissant les yeux de contentement. Il s'agit de Marie-Ange qui, comme ceux qui la connaissaient s'y attendaient, avait tout pardonné. Philippe, qui de son côté avait basculé dans l'adoration de son ex-femme, lui rendit hommage en ouverture du repas de noces :

« Ne nous y trompons pas, cette joie que chacun de nous éprouve à cet instant, ce souvenir merveilleux que nous sommes en train de bâtir, c'est à toi que nous le devons. Toi, l'architecte de notre bonheur, que dis-je, de nos bonheurs. »

Il était clairement plus inspiré que quand il s'agissait de pondre une lettre de condoléances à la famille d'un agent du ministère... Un peu plus tard, le même soir, il osa lui poser la question qui lui brûlait les lèvres :

« Comment as-tu fait pour savoir ? »

À quoi Marie-Ange, ne souhaitant pas réveiller des souvenirs douloureux, répondit que son tour était venu de garder un secret.

« N'essaie pas de deviner, ajouta-t-elle, tu n'as aucune chance de trouver. »

Et, de fait, Philippe ignora toute sa vie qu'un soir de 4 juillet Julien Fontana lui avait envoyé par erreur un texto lui demandant de s'asseoir sur sa bouche.

Julien, justement. Avec lui, le destin fut moins chic. Philippe tenta bien d'intervenir en sa faveur auprès de la DRH mais se fit vertement rembarrer par Marjorie Smith-Déranger, allergique à ce genre de procédé. Fontana fut envoyé au Bangladesh où, dès sa sortie de l'avion, il détesta tout. La pauvreté lui donnait des cauchemars, la pollution des allergies, et la nourriture la diarrhée, tous les jours. Pour ne rien arranger, l'ambassadrice était barge. Alcoolique au dernier degré (on l'appelait « Glouglou »), elle parlait de devenir bangladaise par mariage pour pouvoir se présenter à l'élection présidentielle dans ce pays. Un matin, en se rendant à l'ambassade, Julien fut victime d'un accident de tuk-tuk qui l'obligea à porter une minerve pendant trois semaines. Peu de temps après, en rentrant chez lui, il se fit mordre à la jambe par un chien des rues en bas de son immeuble, ce qui lui valut trois jours d'arrêt de travail. Au printemps suivant, il revint en France pour assister au baptême d'une petite nièce à Azay-le-Rideau, où on lui trouva une mine effroyable. Refusant de retourner à Dacca, il se planqua quelque temps à l'abbaye de Ligugé avant d'oser reprendre contact avec le ministère. Au terme d'interminables démarches, son basculement vers l'Éducation nationale fut autorisé. Lui qui ne jurait que par *GQ*, les costumes Arnys et les cocktails branchés trouva son équilibre en enseignant l'histoire-géo aux classes prépas du lycée Descartes de Tours (on est souvent surpris par ce qui nous rend heureux). Sa beauté s'envola d'un coup, un peu avant la quarantaine. Il perdit ses beaux cheveux blonds et prit du poids, ce qui empêcha probablement Pauline, aperçue à la gare de Lyon à la même époque, de le reconnaître – Pauline qui l'avait laissé tomber pour un youtubeur célèbre peu après son départ pour Dacca. Julien, lui, n'eut aucun mal à la remettre. Même après tant d'années, comment aurait-il pu oublier un visage qu'il avait regardé aussi longtemps, d'aussi près ?

Quant à Marie-Ange... Ah, Marie-Ange... Son divorce fit d'elle une femme riche : Philippe, rongé par la culpabilité au moment du partage, lui laissa sans broncher l'appartement rue de Bellechasse et celui des Sables-d'Olonne. Elle s'empressa de reprendre son nom de jeune fille et vécut quelque temps à Paris, seule, sans rien faire de particulier, avant de se décider à rappeler Capuche. Le numéro n'était plus en service. Elle se rendit rue de Rochechouart mais Jany Fontana avait déménagé. Elle se fit une raison et les années passèrent. Elle vendit Bellechasse, les Sables, et s'installa dans une longère près d'Étretat, où elle avait passé plusieurs étés de son adolescence. Elle s'entoura d'animaux et se remit à faire des bouquets. Un beau matin, alors qu'elle revenait de promenade avec ses chiens, elle entendit le fameux

«Yo!». Capuche l'attendait, assis sur les marches de son perron, un brin d'herbe à la bouche. Il avait réussi à la localiser grâce à sa sœur, Jany, qui travaillait aux impôts. Ils s'enlacèrent et c'est comme si le temps n'était pas passé. Elle lui proposa de prendre un thé et... la suite leur appartient. Ce qu'elle fit ou ne fit pas avec lui, ce qui arriva ou n'arriva pas, c'est son histoire, leur histoire. Mon petit doigt me dit qu'ils s'entendent plutôt bien. D'ailleurs, les voilà, qui font leurs courses dans une supérette de village. Marie-Ange choisit des pommes une par une (elle a toujours pris son temps) pendant que Capuche passe une commande de bois au caissier. Ils sortent, récupèrent les chiens et s'éloignent côte à côte dans la brume. Au-dessus d'eux, dans le ciel encore clair, Vénus scintille déjà. Un clocher, au loin, sonne 7 heures du soir.

La plupart des personnages et des situations de ce récit, inspirés par la réalité, ont été largement réinventés. Toute ressemblance avec des personnes ou des situations existantes ou ayant existé ne saurait donc être que fortuite.